KB009048

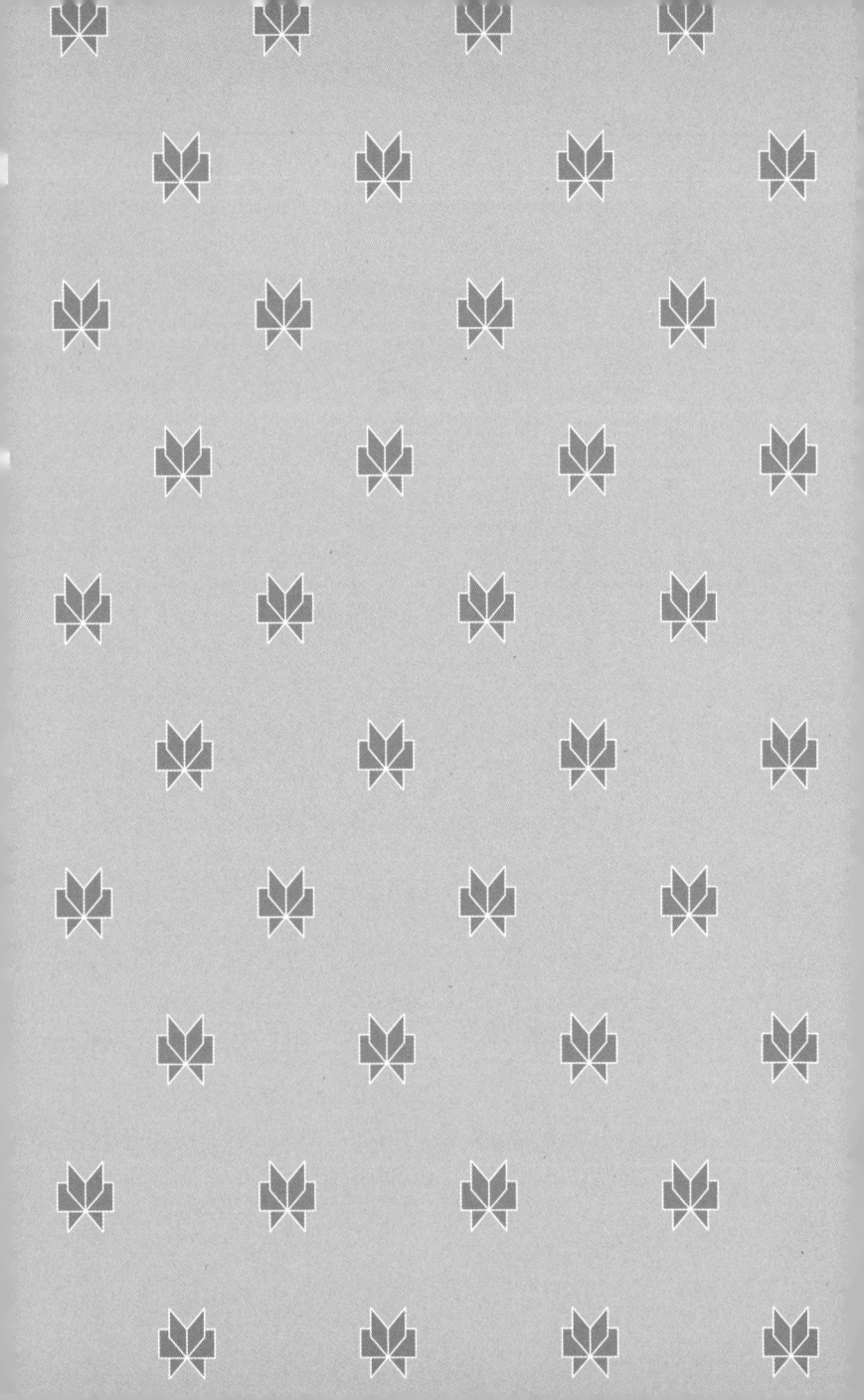

표범처럼 멋지게 변신하는 삶, 사기

표범처럼 멋지게
변신하는 삶, 사기

황희경

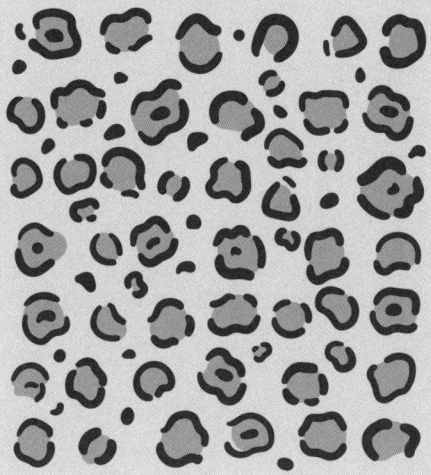

미로 같은 인생의 출구

1

메멘토문고   나의고전독법

일러두기

● 중국 인명은 과거인과 현대인을 구분(신해혁명, 1911년 기준)하여 과거인은 종전의 한자음대로 표기하고, 현대인은 원칙적으로 중국어 표기법에 따라 표기하되, 필요한 경우에 한자를 병기했다.

● 중국의 역사 지명으로서 현재 쓰이지 않는 것은 우리 한자음대로 표기하고, 현재 지명과 동일한 것은 중국어 표기법에 따라 하되, 필요한 경우에 한자를 병기했다.

● 한자어의 뜻풀이와 한자가 함께 쓰일 경우 혹은 설명글과 같은 내용의 한자어가 사용될 경우에는 대괄호 〔 〕를 썼다.

'표변豹變'이라는 말은 일반적으로 마음이나 행동 따위를 갑작스럽게 바꾼다는 부정적인 뉘앙스로 사용된다. 하지만 표준국어대사전을 찾아보면 첫 번째 정의가 "표범의 무늬가 가을이 되면 아름다워진다는 뜻으로, 허물을 고쳐 말과 행동이 뚜렷이 달라짐을 이르는 말"이라고 나온다. 이 말은 『주역周易』「혁괘革卦」의 '상육효上六爻'에 나온 "군자표변君子豹變"이라는 문구에서 유래한 것으로, '군자는 표변한다'는 좋은 말이다. '잘 사는 삶'이란 표범의 무늬가 아름다워지듯이 어려움에 처하거나 나쁜 상태에서 좋은 방향으로, 낮은 단계에서 높은 단계로 멋지게 변신하는 삶이며, '잘못 사는 삶'이란 그 반대 방향으로 변하는 삶일 것이다.

요절한 일본의 천재 작가 나카지마 아쓰시中島敦의 「산월기山月記」라는 소설을 보면 주인공 이징李徵이 짐승

인 호랑이로 점차 변하는 이야기가 나온다. 시 쓰는 재능
도 있었고 과거에도 급제한 이징이 호랑이로 변한 것은
"내가 '아름다운 옥'이 아닐까 봐 두려워해 각고의 노력
을 기울여서 절차탁마하지 않았고, 또한 자신이 '아름다
운 옥'임을 어느 정도 믿었기에 범용한 무리와 어울리지
못하고 점차 세속을 멀리했기 때문"이다. 분노와 수치심
으로 자신의 나약한 자존심을 사육한 결과, 호랑이로 변
해버린 것이다.

　동아시아에서 『그리스 로마 신화』에 해당하는 위상
을 가진 『사기史記』에는 제왕부터 백정에 이르기까지 다
양한 인간군상이 등장한다. 그중에는 「관안열전管晏列傳」
에 나오는 마부처럼 이혼을 요구당하는 위기에 처했다
가 어느 순간 표범처럼 멋지게 변신한 사람이 있는가 하
면, 평원군平原君처럼 혼탁한 세상에서도 품위를 잃지 않
은 훌륭한 공자公子였지만 나라를 다스리는 큰 도리에 어
두워 자국에 피해를 입힌 인물도 있다.

　표변하는 삶이라는 주제로 70편에 달하는 『사기열
전史記列傳』에서 명편으로 알려진 12편을 뽑았다. 이런 열
전을 읽어보면 결국 자기에게 다가온 기회를 놓치지 않
고 알맞은 때에 내린 선택과 결단이 자신의 삶을 바꾼다

는 사실을 알 수 있다. 그리하여 남들에게 기억되고 역사가들에게 주목받을 정도로 삶의 가치를 높일 수 있을 것이다. 『사기열전』을 새롭게 읽으면서 현대인의 복잡하고 자질구레한 일상을 되돌아보고 좋은 삶이란 무엇인가를 생각하는 계기를 마련하기 바란다.

〔차례〕

들어가며   5

---

1   제후국의 왕자에서 맑고 깨끗한 은자로: 백이와 숙제   11

2   사람이 사람을 알아준다는 것: 관중과 안영   31

3   흙수저에서 약소국들의 '합종'을 이룬 거인으로: 소진   43

4   도둑누명을 쓴 자에서 천하통일에 공헌한 유세가로: 장의   54

5   예로 나라를 구한 강호의 화신!: 위공자   64

6   모국의 실패자에서 타국에서의 승리자로: 범저   76

7   환관의 식객에서 문경지교의 주인공으로: 인상여   86

8 독서인에서 우주의 중심을 찌른 자객으로: 형가   98

9 '생쥐 철학'으로 제국의 기틀을 마련한 승상: 이사   109

10 시정잡배에서 백전백승의 전략가로: 회음후 한신   120

11 봄꽃처럼 사랑받았으나 불운했던 명장: 이장군 이광   132

12 '사람'과 '때'를 알아본 대정치가이자 재물의 신: 범려   143

    후기   158

1 제후국의 왕자에서 맑고 깨끗한 은자로

: 백이와 숙제

추사秋史 김정희金正喜의 〈세한도歲寒圖〉를 보기엔 겨울이 좋다. 코로나19 팬데믹으로 가까운 사람조차 보기 어려웠던 지난 겨울은 더욱 춥게 느껴졌다. 마침 국립중앙박물관에서 〈세한도〉를 전시한다고 해서 한겨울에 봄을 찾듯이 걸음을 나섰다. 알다시피 〈세한도〉는 제주도에서 추사가 유배 중일 때 제자 이상적李尙迪이 중국에서 귀한 서적을 구해 보내준 것에 감격해 답례로 그려 보낸 그림이다. 인생의 어려운 시절을 통과하고 있던 자신을 잊지 않고 제자가 구하기 어려운 책을 보내주었으니 얼마나 큰 위로가 되었겠는가?

"날이 추워진 연후라야 소나무와 잣나무가 뒤늦게 시든다는 것을 안다."라는 공자의 말처럼 추사에게 이상적은 '송백松柏'이었다. 현대 중국의 저명한 사상가 리쩌허우李澤厚는 "중국의 산수화는 서양의 십자가"와 같다고 했지만, 나도 소박한 집을 사이에 두고 앙상한 송백이 마주 선 풍경을 간결하게 그린 〈세한도〉를 감상하면서 적지 않게 마음의 위안을 받았다.

한겨울에 매화를 찾아가는 심정으로 『사기열전』을 펼치니 첫 편이 「백이열전伯夷列傳」이다. "덕행과 도의를 견지하고, 뜻이 크고 기개가 있어서 예속에 구애받지 않으며 때를 놓치지 않고 천하에 공명을 세운" 인물들을 기록한 열전 70편 중에서 사마천은 백이伯夷와 숙제叔齊를 가장 중요한 첫 편에 배치했다. 이는 단지 시간 순서에 따른 배열만은 아니다. 백이와 숙제의 무엇이 그렇게 대단했던가? 사마천은 왜 그들을 열전의 첫 번째 주인공으로 골랐을까?

사가의 절창, 무운의 이소

사마천이 살았던 한나라 무제武帝 때는 역사의 수레바퀴가 요란한 굉음을 울리며 굴러가는 시대였다. 사마천은 이 수레바퀴에 치여 목숨을 잃을 뻔했다. 흉노와 싸우다 항복한 이릉李陵을 변호하다가 사마천은 어찌 보면 죽는

12

것보다 더 치욕스러운 궁형을 당했다. 하지만 "세상에서 잊힌 채 죽어서 내가 쓴 문장이 후세에 전해지지 않을 것을 억울하게 생각했기 때문"(「임소경에게 답하는 편지〔報任少卿書〕」)에 오욕을 견디며 역사서를 저술하는 사명을 완수했다. 그렇기에 열전의 첫 번째 주인공으로 백이와 숙제를 선택한 데에는 간단치 않은 의미가 담겼을 것이다. 백이와 숙제는 어떤 인생을 살았고 무슨 일을 했던가?

사실 무슨 대단한 업적을 남긴 사람들이 아니다. 그들이 주목받은 일은 왕위를 양보한 소극적인 행동뿐이다. 따라서 사마천에게 첫 번째 주인공으로 선택된 것은 양보의 미덕 때문이라고 볼 수 있다. 『세가世家』와 『본기本紀』도 시기는 다르지만 모두 왕위를 양보하거나 선양한 오태백吳太伯이나 요순堯舜의 이야기를 첫 번째로 다루고 있어 이 점이 뚜렷이 드러난다. 남이 이미 차지한 것을 내놓게 하기도 쉽지 않지만, 자신이 먼저 차지하거나 확보한 것은 잠시 앉아가는 버스나 지하철의 자리라도 양보하기 힘든 법이다. 나라를 양보한다는 것이 어떤 일인지 보통 사람으로서는 가늠하기조차 힘들다. 더구나 백이가 양보한 고죽국孤竹國은 상나라에 속한 제후국으로 북방의 대국이었다고 한다.

마오쩌둥毛澤東은 「안녕! 스튜어트」(존 스튜어트는 당시 주중 미국대사)라는 글에서 백이에 대해 자기 인민을 책임지지 않고 도망갔을 뿐만 아니라 무왕武王이 이끄는 인민해방전쟁에 반대한 민주적 개인주의자라고 비판하기도 했다. 일리가 있는 비판이다. 고죽국 백성의 입장에서 보면, 백이와 숙제가 나라와 백성을 돌보지 않고 은둔해버렸으니 무책임하다고 할 수 있다. 훗날 역사가의 평가에 따르면 쿠데타가 아닌 성공한 혁명에 반대한 것이니 칭송만 하고 있을 수는 없다. 혁명의 시대에 혁명가의 시각으로 백이를 비판할 수 있다. 하지만 일반적으로 보면 왕위나 권력을 양보해서 문제가 되기보다는 집착해서 문제가 된다.

「백이열전」은 다른 열전과 비교하면 아주 특별하다. 루쉰이 "역사가[史家]의 절창絕唱이며 운율이 없는 이소離騷"라고 평한 『사기』에서도 늘 명문으로 꼽힌다. 앞서 밝혔듯이 열전의 첫 번째 편이며, 분량도 이례적으로 짧은데 전주(傳主: 전기의 주인공)를 다룬 부분은 더 짧다. 대략 전체 분량의 3분의 1 정도이고 나머지는 공자의 말을 인용하면서 사마천의 의론이 펼쳐진다. 달리 말하면 사마천이 '넋두리'를 풀고 있다고도 할 수 있다. 그런데 이 넋

두리가 일품이다. 다른 열전의 경우 대부분 전주의 행적을 먼저 길게 서술하고 나서 맨 마지막에 "태사공이 말하기를(太史公曰)"이라고 하면서 해당 인물에 대한 자신의 평가를 간략하게 서술하는 형식을 띠고 있어 뚜렷하게 대비된다. 따라서 「백이열전」은 열전 전체의 서문이자 요지要旨라고 평가받는다.

또 내용이 길지 않은데도 내면의 논지를 파악하기가 쉽지 않다. 조선시대의 김득신金得臣은 이 열전을 무려 11만 3000번 읽었다고 한다. 내용이 단순한 영화를 여러 번 볼 수 없듯이 아무리 공부를 좋아하는 사람이라도 내용이 빤하면 그렇게 많이 읽을 수 있겠는가? 이 열전은 하늘의 구름과 같이 변화무쌍해서 파악하기가 쉽지 않다. 하지만 물결이 일렁이듯 마음을 격동시키는 묘한 매력이 있다. 그런 가운데 잠시 잔잔한 부분이 백이와 숙제의 일생을 기술한 부분이다.

백이와 숙제는 고죽국 임금의 두 아들이다. 아버지는 셋째인 숙제에게 왕위를 물려주고자 했다. 아버지가 죽자 숙제는 백이에게 양보했다. 백이는 '아버지의 명'이라고 하고 달아났다. 숙제 또한 왕위에 오르지 않고 도망가버렸다. 나라 사람들이 둘째 아들을 (왕으로) 세웠다. 이에 백이와 숙제는 당시 서쪽 제후의 우두머리였던 창(西伯昌)이 늙은이를 잘 돌봐준다는 소문을 듣고 그리로 갔다. 이르고 보니 창은 죽었고, 뒤를 이어 왕위에 오른 무왕이 선친에게 '문왕文王'이란 시호를 붙이고 그 위패를 싣고 동쪽으로 가서 (상나라 마지막 폭군인) 주紂를 치려고 했다. 백이와 숙제가 말고삐를 잡고 간언했다. "아버지의 장례를 치르지도 않고 군사를 일으키는 것을 효孝라고 할 수 있으며, 신하로서 임금을 시해하는 것을 인仁이라고 할 수 있습니까?" 좌우에서 그들을 해치려 하자 (강)태공姜太公이 "이 사람들은 의인이다."라고 하고는 부축하여 떠나보냈다. 무왕이 상나라의 난을 평정하자 천하가 주나라를 떠받들었다. 백이와 숙제는 이를 부끄러이 여기고 의리상 주나라 곡식을 먹지 않는다며 수양산에 숨었다. 고사리를 캐 먹다가 굶어 죽기에 이르러, 노래(「채미가采薇歌」)를 지었다.

저 서산에 올라, 고사리를 캐도다.〔登彼西山兮 采其薇矣〕

폭력으로 폭력을 대신하고도 그 잘못을 알지 못하네.〔以暴易暴兮 不知其非矣〕

신농·우·하나라가 모두 사라졌으니, 나는 어디로 간단

말인가?〔神農虞夏忽焉沒兮 我安適歸矣〕

아아 떠나련다. 운명이 다한 것을!〔于嗟徂兮 命之衰矣〕

그러고는 마침내 수양산에서 굶어 죽었다.

백이와 숙제의 원망

이게 전부다. 아무리 순후하고 질박한 옛날이야기라고
하나 현실에서 이런 일이 존재할 수 있었을까? 존재했다
면 이런 삶을 어떻게 평가해야 할까? 공자가 말한 것처
럼 백이와 숙제는 '인'을 구하다가 '인'을 얻었으니 원망
이 없었을까?

　　루쉰鲁迅은『새로 쓴 옛날이야기〔故事新編〕』에서 수양
산에 숨어든 백이와 숙제가 굶주림을 해소하고자 고사
리를 다양한 방식으로 요리를 해 먹다가 산속에서 우연
히 만난 어떤 처녀로부터 그 고사리는 주나라의 것이 아
니냐는 힐난을 받고 어쩔 수 없이 굶어 죽었다고 풍자했
다. 이상만 좇는 자의 말로를 냉소적으로 각색한 이야기
였다. 청나라 때 양옥승梁玉繩은 아예 무려 열 가지 근거

를 들어 사마천이 정리한 내용에 의문을 제기하기도 했다. 여기서 그것을 일일이 나열할 필요는 없겠지만 백이가 무왕이 폭군 주를 치러 가는 것을 저지했다거나 나중에 수양산 아래에서 굶어 죽었다는 것은 사실이 아닐 가능성이 크다. 다른 기록에 따르면 무왕이 상나라를 토벌한 것은 백이가 주나라에 오고 나서 한참 후의 일이다. 또한 백이와 숙제는 강태공과 기산箕山, 풍호豊鎬 일대에서 같이 지냈으므로 무왕이 거사를 꾀한다는 것을 몰랐을 리 없다. 그런데도 계획 단계에서 말리지 않고 출병할 때를 기다려 말고삐를 잡고 간했다는 이야기는 신빙성이 약하다. 사실 『논어論語』에는 백이와 숙제가 수양산 아래에서 굶어 죽었다고 하지 않고 수양산 아래서 굶었다는 표현만 나온다.(「계씨季氏」) 「채미가」로 이름 붙여진 절명시絶命詩도 그들이 지었다는 문헌적 근거는 따로 없다. 아마도 사마천이 근거도 박약한 이 절명시를 인용한 이유는 백이와 숙제에게 과연 원망이 없었겠는가를 암시하기 위해서였을 것이다.

사마천에게 사실과 가치를 판단하는 최종심급의 기준은 유가의 육경(六經: 육경이라는 표현은 사실 『장자莊子』「천운天運」에 처음 나온다.)과 공자였는데, 공자는 제자 자공자貢이 백이와 숙제에게 원망함이 있었느냐고 묻자 분명히 그렇지 않다고 답했다. 인을 구하다 인을 얻었는데 무슨 원망이 있었겠냐고 단언했다.(「술이述而」) 사마천이 공자를 비판하고자 한다면 모를까 「백이열전」의 첫머리에서부터 "무릇 역사를 기록한 전적典籍이 대단히 많아도 학자들은 육경에 의거하여 신빙성을 판단한다."라고 선언하고서 공자가 결론을 내린 문제에 의문을 제기하는 이유는 무엇인가? 왜 이 문제에 집착하는가?

『노자老子』에 보면 "하늘의 도〔天道〕는 특별히 편애함이 없지만 늘 선한 이와 함께한다."라는 말이 있다. 과연 이러한 '천도'가 존재할까? 존재한다면 왜 백이와 숙제 같이 어진 덕을 쌓고 행실이 맑고 깨끗한 사람은 굶어 죽고 도척盜跖같이 매일 죄 없는 사람을 죽이고 사람 고기를 먹기까지 한 악인은 떵떵거리고 잘 사는가? 잘 사는 데 그치지 않고 더 나아가 천수를 누리는 현상을 어떻게 설명해야 할까? 왜 의인은 항상 수난을 겪고 악인들은 거꾸로 부귀영화를 누리는 일이 많은가? 이렇게 가슴 속에 응어리져 풀리지 않는 의문을 던지기 위해 사마천은 「채미가」에 은근히 배어 있는 백이와 숙제의 원망에 주목했을 것이다. 아니 자신의 울분을 백이와 숙제에게 투

영했는지도 모른다.

　근세에 이르러서도 법도에 어긋난 행동을 하고, 남들이 꺼리는 짓만 골라서 하면서도 일생을 편안히 살 뿐만이 아니라 부유함이 대대로 끊이지 않는 자가 있는가 하면, 어떤 이는 땅도 가려서 밟고 말할 때가 된 연후에만 말하고, 다닐 때에도 지름길로 다니지 않고, 공정함과 관련된 일이 아니면 발분하지 않는데도 재앙을 만나는 경우가 부지기수다.

　역사는 진보한다고 하지만 현재 우리가 사는 세상도 사마천이 개탄한 현실과 큰 차이가 없어 보인다. 한평생 공적인 일에 종사한 적이 없는 이가 '민주주의'라는 제도를 통해 초강대국의 대통령이 되어 자기 나라를 분열로 몰아가는 데 그치지 않고 세계를 호령하며 갖은 명분과 협박을 동원해 온갖 잇속을 차리면서 우리의 삶을 제약했던 것을 어떻게 받아들여야 하는가? 민주주의는 왜 민족국가의 경계를 넘어서지 못하는가? 파렴치한 인간이 영웅으로 둔갑해서 환영을 받거나 사실적 근거도 박약하고 옳지도 않은 맹랑한 주장이 버젓이 '정치적 올바름'으로 포장되어 유통되는 일이 어디 한둘인가? 천도 따위는 애초에 없는 것이고 세상은 원래 그런 것이라고 냉소하면 그뿐인가? 이런 허무주의적인 길을 택하지 않으면서 어떻게 마음의 평정을 유지할 수 있을까? 이런 현실의 불공정과 부조화를 참아내면서 어떻게 공정과 조화의 길로 나아갈 수 있을까?

사마천은 왜 '실패'한 자를 그렸는가

사마천은 공자의 언설을 통해 균형을 잡고자 시도한다. 추구하는 도가 각기 다르면 뜻이 다른 사람과 일을 도모하지 말라고. 각자 자기 뜻을 좇아 사는 것이 인생이라고. 부귀를 추구할 사람은 부귀를 추구하면 된다고. 부귀를 추구해도 안 된다면? 그럼 자기가 좋아하는 것을 하라고. 날씨가 추워진 뒤에야 소나무 잣나무의 잎이 늦게 떨어진다는 것을 알 수 있듯이 맑은 선비는 온 세상이 혼탁해진 이후에 드러난다고 사마천은 자기 자신과 우리 독자를 격려하고 있다.

사실 맑은 선비가 진정 중시해야 할 것은 부귀가 아

니라 이름이다. "군자는 죽은 후에 이름이 알려지지 않는 것을 싫어한다." 공자에게 내세란 역사이며, 불멸이란 다른 이의 기억 속에 아름답게 남는 것이다. 탐욕스러운 사람은 재물을 위하여 죽고, 권세욕이 강한 사람은 권력을 좇다가 죽지만 열사烈士는 이름을 위해 죽는 법. 백이와 숙제는 왕위를 양보한 선인이었지만 이를 알아본 공자를 통해서 이름이 더욱 알려졌듯이 나 사마천도 훌륭하지만 숨어 있는 인물들의 이름을 전해야 하리라. 사마천은 저술을 통해 공자의 과업(『춘추春秋』를 저술했던 일)을 계승하겠다는 포부와 자신감을 피력하며 열전을 마무리한다.

귀감이 되는 삶을 살았지만 청운의 선비를 만나지 못해 그 이름이 후세에 전해지지 않는다면 슬픈 일이다. 천하를 양보했다는 허유(許由: 순임금 때 법무장관이었던 고요皐陶라는 설이 있다.)가 바로 생생한 증거다. 허유는『장자』에서 신화적 인물로 거론되었기에 사마천 자신도 그의 무덤이라고 알려진 곳을 직접 답사하고도 전설로 치부했다. 백이와 숙제는 제후국의 왕자로 태어났지만 왕위를 양보했고 결국 수양산 아래서 굶다가 생을 마감하여 낙차 큰 생을 살았다. 사마천은 결코 '성공'한 삶을 살았다고 할 수 없지만 소나무와 잣나무처럼 꼿꼿한 삶을

산 이들을 첫머리에 기록해 불멸을 얻게 만들었다. 바로 시대의 소음을 조화로운 음악으로 바꾼 일이 아닐 수 없겠다.

「백이열전」

1

무릇 역사를 기록한 전적이 대단히 많아도 학자들은『육경』에 의거하여 신빙성을 판단한다.『시경詩經』,『서경書經』은 비록 없어진 부분이 많아도 순임금과 하夏왕조의 일은 대략 알 수 있다. 요임금이 제위에서 물러나 순에게 양위하고, 순임금이 다시 우禹에게 양위할 때 사악四嶽과 구목九牧 같은 제후들이 모두 그를 추천하였으나, 능력을 시험하기 위하여 수십 년간 일을 맡겨 공업功業을 이루게 한 연후에야 양위하였다. 이는 천하란 지극히 소중하고, 왕위의 계승이란 극히 중대한 일인 만큼 천하를 전하는 일이 그토록 어렵다는 것을 보이기 위함이었다. 일설에 요임금이 천하를 허유에게 전해주려 하였는데 허유가 받지 않고 오히려 양위를 받을 뻔했다는 사실을 부끄러워

해서 도망가 숨었다고 한다. 하나라 때에 이르러서는 변수卞隨, 무광務光이라는 사람이 있었다고 한다. 이것은 무엇을 칭하는 것인가? 태사공은 말한다. "내가 기산에 올라가 보니, 그 위에는 허유의 무덤이라고 전해지는 곳이 있었다. 공자가 옛날의 어진 이와 성인, 현인을 순서대로 열거하면서 오태백과 백이는 상세하게 언급하였다. 내가 듣기로는 허유, 무광의 의義가 지극히 높았다는데 문헌에는 그들에 대한 개략적인 이야기조차 실려 있지 않으니, 어찌된 일일까?"

2

공자가 말했다. "백이와 숙제는 지나간 잘못을 기억하지 않았으니 원망도 적었다." "인을 구하여 인을 얻었으니 또한 무엇을 원망하겠는가?" 나는 백이의 뜻을 비감히 여기던 중, 그들이 남겼다는 시를 보니 가히 이상하였다. 백이의 전기는 이러하다.

백이와 숙제는 고죽국 임금의 두 아들이다. 아버지는 셋

째인 숙제에게 왕위를 물려주고자 했다. 아버지가 죽자 숙제는 백이에게 양보했다. 백이는 '아버지의 명'이라고 하고 달아났다. 숙제 또한 왕위에 오르지 않고 도망가버렸다. 나라 사람들이 둘째 아들을 (왕으로) 세웠다. 이에 백이와 숙제는 당시 서쪽 제후의 우두머리였던 창이 늙은이를 잘 돌봐준다는 소문을 듣고 그리로 갔다. 이르고 보니 창은 죽었고, 뒤를 이어 왕위에 오른 무왕이 선친에게 '문왕'이란 시호를 붙이고 그 위패를 싣고 동쪽으로 가서 (상나라 마지막 폭군인) 주를 치려고 했다. 백이와 숙제가 말고삐를 잡고 간언했다. "아버지의 장례를 치르지도 않고 군사를 일으키는 것을 효라고 할 수 있으며, 신하로서 임금을 시해하는 것을 인이라고 할 수 있습니까?" 좌우에서 그들을 해치려 하자 (강)태공이 "이 사람들은 의인이다."라고 하고는 부축하여 떠나보냈다. 무왕이 상나라의 난을 평정하자 천하가 주나라를 떠받들었다. 백이와 숙제는 이를 부끄러이 여기고 의리상 주나라 곡식을 먹지 않는다며 수양산에 숨었다. 고사리를 캐 먹다가 굶어 죽기에 이르러, 노래(「채미가」)를 지었다.

저 서산에 올라, 고사리를 캐도다.

폭력으로 폭력을 대신하고도 그 잘못을 알지 못하네.

신농·우·하나라가 모두 사라졌으니, 나는 어디로 간단 말인가?

아아 떠나련다. 운명이 다한 것을!

그러고는 마침내 수양산에서 굶어 죽었다.

이로 볼 때, 백이와 숙제는 원망을 가졌을까, 가지지 않았을까?

3

어떤 이는 말한다. "하늘의 도는 특별히 편애함이 없지만 늘 선한 이와 함께한다." 백이, 숙제 같은 사람은 선한 사람이라 할 만하지 않은? 인을 쌓고 고결하게 행동했는데 굶어 죽다니……. 일흔 명 제자 중에서 공자는 안연顔淵만을 골라 학문을 좋아한다고 칭찬하였으나 안연은 자주 굶어서 쌀겨나 술지게미를 먹다가 결국 요절하였다. 하늘이 선한 사람에게 보답하여 베푸는 것이 어찌 이럴

수 있는가? 도척은 매일같이 죄 없는 사람을 죽이고, 사람의 고기를 먹었으며, 흉포한 행동을 멋대로 하면서 수천 명의 무리를 모아 천하를 횡행하였지만, 결국 천수를 누리고 죽었다. 이건 그가 무슨 덕을 따랐기에 그런 것일까? 이는 특히 두드러지게 명백한 예들이다. 근세에 이르러서도 법도에 어긋난 행동을 하고, 남들이 꺼리는 짓만 골라서 하면서도 일생을 편안히 살 뿐만이 아니라 부유함이 대대로 끊이지 않는 자가 있는가 하면, 어떤 이는 땅도 가려서 밟고 말할 때가 된 연후에만 말하고, 다닐 때에도 지름길로 다니지 않고 공정함과 관련된 일이 아니면 발분하지 않는데도 재앙을 만나는 경우가 부지기수다. 나는 매우 당혹스럽다. 소위 하늘의 도라는 것은 옳은 것인가, 그른 것인가?

4

공자께서 "도가 같지 않으면 서로 함께 도모하지 않는다."라고 하였으니, 각자 자기의 뜻을 따를 뿐이다. 그러므로 "부귀를 얻을 수만 있으면 비록 채찍을 잡는 마부라

할지라도 나 역시 그 일을 하겠지만, 그렇지 않다면 내가 좋아하는 것을 따르겠다." "날이 추워진 연후라야 소나무와 잣나무가 뒤늦게 시든다는 것을 안다." 세상이 모두 혼탁해지면 맑은 선비는 드러나기 마련이다. 군자가 어떻게 부귀를 중히 여기고 도덕을 가벼이 여길 수 있단 말인가?

5

"군자는 죽은 후에 이름이 알려지지 않는 것을 싫어한다." 가자(賈子: 가의)가 말했다. "탐욕스러운 자는 재물을 구하다 죽고, 열사는 명성을 위해 죽으며, 권세욕이 강한 사람은 권력을 좇다 죽는다. 보통 사람은 사는 데 급급하다." "같은 빛은 서로를 비추고 같은 부류끼리는 서로를 찾는다." "구름은 용을 따르고, 바람은 범을 따르고, 성인은 출현하면 다른 만물의 실정이 모두 보이게 된다." 백이와 숙제가 비록 현명했다 하여도 공자가 그들을 말한 다음에서야 이름이 더욱 유명해졌다. 안연이 비록 독실하게 학문에 전념했다 해도 파리가 천리마의 꼬리에 붙어서 천 리를 가듯이 공자를 만난 다음에야 행실이 세상에 드러났다. 바위굴 속에 사는 선비〔巖穴之士〕도 진퇴를 때에 맞게 했거늘 그 이름이 연기처럼 사라져 세상에서 불리지 않는다면 심히 슬픈 노릇이다! 저잣거리에 파묻혀 사는 사람이 행실을 닦아 이름을 세우려고 하더라도, (그것을 전할) 청운의 선비〔靑雲之士〕를 만나지 못한다면 어떻게 후세에 이름을 남길 수 있겠는가?

2 사람이 사람을 알아준다는 것: 관중과 안영

중국에서 개혁 개방이 시작되고 20년 정도 지나면서 많은 중국인이 제나라를 떠올렸다고 한다. 제나라는 진나라에 의해 천하가 통일될 때 가장 마지막에 멸망한 나라로, 지금으로 치면 산둥성山東省 일대에 있던 대국이었다. 제나라는 전국칠웅 중에 경제력이 가장 강한 나라였다. 개혁 개방을 통해 중국이 점차 발전하고 풍요로워지면서 제나라의 찬란한 문화와 발달했던 경제를 다시금 돌아보게 된 것이다. 이는 산둥성 출신의 저명한 작가 장웨이張煒가 쓴 『제나라는 어디로 사라졌을까〔芳心似火〕』에 나오는 이야기다. 진나라가 아니라 제나라에 의해 천하가 통일되었더라면 역사는 어떻게 달라졌을까? 부질없는 상상을 잠시 해본다.

관중管仲과 안영晏嬰은 춘추시대 제나라 출신의 인물로 천하제일의 재상이라 불리기도 한다. 관중은 제환공

齊桓公을 춘추오패(春秋五霸: 춘추시대의 다섯 패자) 가운데에서도 우두머리로 만들었고, 안영은 영공靈公, 장공莊公, 경공景公 세 임금을 섬기며 나라를 이끌었다. 여기서 패자란 춘추시대에 여러 나라가 회맹할 때 맹주이자, 위신과 실력으로 다른 제후국들을 회합시킬 수 있는 자인데, 제환공은 아홉 번이나 제후들을 집합시켜 천하를 바로 잡은 군주다. 쉽게 말하면 춘추시대에 가장 먼저 제나라를 오늘날 미국 같은 강대국으로 만든 이가 관중이다. 당시 그가 제환공을 도와 확립한 국제질서의 조목은 이렇다.

1. 불효한 자를 징벌하고 태자를 바꾸지 말며 첩으로 처를 삼지 말 것.

2. 현명한 이를 높이며 인재를 기르고 덕이 있는 이를 표창할 것.

3. 늙은이를 공경하고 어린이를 사랑하며 귀빈과 여행객을 소홀히 대하지 말 것.

4. 선비는 세습하지 못하고 관직의 일은 겸직하지 말며, 선비의 임용은 반드시 합당한 인물을 얻도록 하며, 대부(大夫: 선비보다 높고 경卿보다 아래인 고대 관직)를 함부로 독단적으로 죽이지 말 것.

5. 제방을 아무 곳에나 쌓지 말고 이웃나라에서 곡식을 수입해가는 것을 막지 말며, 대부를 봉하고서 보고하지 않는 일이 없도록 할 것.(『맹자孟子』「고자告子 하」)

백신 민족주의라는 말이 나오는 작금의 현실을 돌이켜볼 때 당시로서는 상당히 합리적인 내용을 담았다고 평가할 만하다.

안영(자는 평중平仲)은 관중보다 100여 년 뒤의 인물로 공자와 동시대를 살았던 명재상이다. 「공자세가孔子世家」에 보면 제나라 경공이 공자에게 봉지를 하사하려 하였다가 안영의 반대에 부딪혀 그만둔 일이 기록되어 있다. 하지만 공자는 "안평중은 사람 사귀기를 잘한다. 오래 사귀어도 공경하는구나!"라고 평하기도 하였다.(『논어』「공야장公冶長」) 관중과 안영의 이름을 내건 『관자管子』와 『안자춘추晏子春秋』가 지금까지도 전해져서 읽히고 있으니, 오래전 인물이어서 그렇지 지금 우리와 같은 시대에 산다면 비교 대상을 떠올리기 힘들 정도로 큰 업적을 이룬 능력자들이었다. 그런데 사마천은 두 거인을 하나의 열전에서 묶어 간략히 다루고 있는데 중심 주제는 인정(知)의 문제다.

관중을 알아준 사람들

동업하면서 이문이 생기면 늘 더 많이 가져가고, 좋은 의도로 시작했다고는 하지만 결과적으로 피해를 끼치고, 벼슬길에 나아가면 쫓겨나기 일쑤고, 전쟁에 나가면 도망 다니는 친구를 인정할 수 있을까? 그 뿐이 아니다. 적의 편에 서서 싸우다가 패하고서도 염치없이 주군을 따라 죽지도 않는 친구와 관계를 유지할 수 있을까? 알다시피 이렇게 얼굴 두꺼운 이가 관중이고 그를 변함없이 인정해준 친구가 포숙아鮑叔牙다. 그리고 그들 사이의 우정을 '관포지교管鮑之交'라고 한다.

그런데 따져보면 '포관지교'라고 해야 맞을 것 같다. 왜냐하면 포숙아가 관중을 알아준 것이지 관중이 포숙아를 알아준 것이 아니기 때문이다. 왕위 다툼을 벌이다가 패한 공자 규糾의 편에 섰던 관중을 살려주었을 뿐만이 아니라 천거해서 자기보다 윗자리에 오르게 양보한 '대인배'가 포숙아다. 평등 사회를 실현하기가 어려운 것은 물론이거니와 서로 사랑하는 연인 간에도 평등하기는 어렵다. 다시 말하면 사랑한 만큼 사랑받고, 사랑받은 만큼 사랑하기 어렵다. 더 사랑하는 이가 있기 마련이다. 둘

사이에서 알아준 쪽은 포숙아였고, 인정받은 쪽은 늘 관중이었다. 관중이 "나를 낳아준 이는 부모이지만 나를 알아준 이는 포숙아"라고 감격한 것은 지극히 당연한 일이었다. "세상 사람들이 관중의 현명함을 칭찬하기보다 오히려 사람을 알아보는 포숙아를 칭찬했다."

포관지교가 아니라 관포지교가 된 데에는 제환공의 역할이 있었다. 아무리 포숙아 같은 좋은 친구를 두었어도 환공이 없었다면 천고千古의 제일 재상 관중은 없었고, 관포지교라는 말도 전해지지 않았을 것이다. 제환공은 왕위 다툼 과정에서 경쟁자의 편에 서서 활을 쏘아 자기를 죽이려고 한 관중을 죽이지 않고 살려주었을 뿐만이 아니라 재상으로 발탁하였다. 단순히 재상에 임명한 정도가 아니라 중부(仲父: 작은아버지)라고 부르며 국가 통치의 주요 업무를 전적으로 맡겼다. 제환공이 패업을 이룰 수 있었던 데에는 바로 이렇게 넓은 도량과 능력에 따른 과감한 인재 등용이 있었다. 말년에 향락과 방탕에 빠져 오명을 남겼지만 제나라를 창업한 강태공 이후 가장 능력 있는 왕이자 제나라를 가장 높은 수준의 전성기로 끌어올린 명군이었다. 관중 없는 제환공도 상상하기 어렵지만 인재를 알아보고 과감하게 등용하고 전적으로 신뢰

한 제환공이 없었다면 관중도 없었다.

　장제스蔣介石가 젊은 시절 친구들에게 돈을 빌리려고 할 때 주변에서 서로 꿔주려고 했다는 일화를 읽은 적이 있는데, 관중에게도 범상치 않은 아우라가 발산되었던 모양이다. 하지만 자기가 모시던 주군(공자 규)이 패했을 때 모든 것이 한순간에 사라질 뻔했다. 친구인 소홀김忽은 주군을 따라 죽었다. 관중도 주군을 따라 죽어야 했을까? 논란이 분분하다. 공자의 제자인 자로子路나 자공은 주군을 따라 죽지 않은 점을 들어 관중이 인仁하지 않다고 보았지만, 공자는 작은 신의를 지키기 위해 개천에서 스스로 목매어 죽어도 아무도 알아주지 않는 필부와 같아서는 곤란하다고 보았다.(『논어』「헌문憲問」) 치욕을 견디고 살아남아 큰 공명을 이룬 것을 높이 평가한 것이다.

사마천이 흠모한 사람

자신을 알아준 사람들 덕분에 능력을 펼칠 수 있었던 관중과 달리, 안영은 남이 그를 알아준 것이 아니라 그가 다른 사람을 알아보았다.

안영 하면 먼저 '귤화위지橘化爲枳'라는 고사성어가 떠오른다.『안자춘추』에 나오는 이야기다. 제나라의 안영이 초나라에 사신으로 갔을 때 초나라 임금이 대신들과 미리 짜고 안영을 골탕 먹일 계략을 꾸몄다. 환영연자리에 일부러 제나라 출신의 도둑을 끌고 나오게 한 것이다. 초나라 왕은 안영에게 제나라 출신들은 도둑질을 잘하는 게 아니냐고 비꼰다. 안영은 "귤나무가 회수 남쪽에서 자라면 귤이 열리지만, 회수 북쪽에서 자라면 탱자가 된다."라고 응수한다. 출신보다 환경이 중요하다는 것이다. 작은 일을 통해 큰 것을 안다는 말이 있지만 이 작은 일화만 봐도 안영이 얼마나 지혜로운 사람인지가 잘 드러난다. 사마천은 세 개의 작은 일화를 통해 안영이 어떤 사람인지 생생하게 보여준다.

월석보越石父라는 현명한 사람이 있었는데 죄를 지어 포승줄에 묶여 끌려가고 있었다. 안영이 그를 보자 자기 수레의 왼쪽 말을 풀어 속죄금으로 내준 뒤에 수레에 태워 자기 집에 데리고 왔다. 그러곤 그대로 인사도 없이 안방에 들어가 한참이 지나도 얼굴을 내밀지 않았다. 이에 월석보가 떠나려 하자 깜짝 놀란 안영이 의관을 갖추고, 그래도 내가 구해준 사람인데 왜 이렇게 성급하게 떠나려고 하느냐고 물었다. 월석보가 말하기를, 군자는 자기를 알아주지 않는 사람 앞에서는 부당한 대접을 참고 견딜 수 있지만 자기를 알아주는 사람 앞에서는 뜻을 드러낸다는 말이 있는데, 당신이 나를 알아봐서 구하고도 이렇게 대접을 하니 차라리 감옥에 있는 것만 못해서 떠나려 한다고 했다. 안영이 바로 그 자리에서 그를 상객으로 모셨다.

재상인 안영이 외출을 할 때 말을 이끄는 마부의 아내가 숨어서 자기 남편을 보니 우쭐대는 모습이 가관이었다. 그래서 나중에 집에 돌아온 남편에게 이혼을 요구했다. 남편이 이유를 물었다. 아내가 대답하기를, 당신이 모시는 안자는 키가 작지만 제나라의 재상으로 제후들 사이에 이름을 떨치고 있는데도 오늘 출타하는 모습을 보니 사려가 깊어 보이고 항상 스스로를 낮추는 듯한데, 당신은 8척이나 되는 키에 남의 마부로 있으면서 스스로를 대단하게 여기는 것 같더라, 그래서 이혼하고자 한다고 하였다. 그 후 마부는 자신을 낮추었다. 마부가 태도를 달리하자 안자가 이상하게 여기고 이유를 물었더니 그가 자초지종을 말했다. 안자는 그를 추천하여 대부가 되게 하였다.

사람이 사람을 믿기보다 스펙이나 서류를 믿는 요즘 세태에서 이런 이야기는 사이다처럼 시원한 청량감을 선사한다. 자기를 알아보고 구해준 사람 앞에서도 당당하게 부당한 대우를 지적하는 월석보나 그 말을 듣고 바로 자신의 과오를 인정하는 안영, 남의 마부나 하고 있으면서도 자만한 듯 보이는 남편의 모습을 비판하며 당당하게 이혼을 요구한 마부의 아내, 이런 뼈아픈 충고를 듣고 바로 자신의 몸가짐을 고친 마부, 그리고 마부의 미세한 변화를 알아보고 그를 천거한 안영의 이야기는 모두 마음속에 작지 않은 감동을 일으킨다. 현실에선 만나기 힘든 장면이기 때문이다.

　　다른 나라와 전쟁이 끊이지 않고 피비린내 나는 암투를 통해 왕위가 교체되곤 했던 시대에 세 임금 밑에서 재상을 지낸 안영의 일생에는 이렇게 아름답고 소소한 미담만 있지 않다. 제나라 장공이 권신權臣이었던 최저崔杼의 부인과 사통하는 바람에 최저에게 죽임을 당할 때 서슬 퍼런 반역자들 앞에서 죽음을 무릅쓰고 주군을 위해 당당히 곡을 할 만큼 용기가 있던 인물이 안영이다. 그렇다고 불명예스러운 짓을 하다가 죽은 임금을 위해 따라 죽는 어리석은 행동을 하지 않을 만큼 지혜로운 사람이었다.

　하지만 사마천이 관중과 안영의 전기를 쓰면서 차고 넘치게 많은 다른 행적을 기록하지 않고, 당시에 알려지지 않았던 소소한 일화를 기록한 데에는 세상에 지기知己가 없다는 한탄이 담겨 있다. 안영이라면 그의 수레의 채찍을 잡는 마부가 되어도 기뻐할 만큼 흠모한다고 사마천이 말한 이유도 여기에 있다. 만약 당대에 '안영'을 만났더라면 사마천은 궁형을 당하는, 죽음보다 더한 치욕과 고통을 겪지 않았을지도 모른다.

사마천의 논평

내가 관중이 쓴 『관자管子』라는 책의 「목민牧民」, 「산고山
高」, 「승마乘馬」, 「경중輕重」, 「구부九府」와 『안자춘추』를 읽
어보니 내용이 매우 상세했다. 그 책을 읽고 그들의 행적
을 살펴보고자 하여 전기를 정리했다. 그들의 책은 세상
에 널리 알려져 있으므로 여기서는 논하지 않고, 세상에
알려지지 않은 일화만을 논하였다. 세상 사람들은 관중
을 훌륭한 신하라고들 하지만, 공자는 그를 도량이 좁다
고 하였다. 그것은 주나라 왕실의 운명이 쇠미해진 상황
에서 원래 현명한 환공을 도와 왕도 정치를 펼치게 하지
않고, 단지 천하의 패자로서 이름만 떨치게 했기 때문이
아니겠는가? 내려오는 옛말에 "(왕의) 잘한 점은 잘 따르
고, 잘못된 점은 바로잡아 주는 것이야말로 군주와 신하
가 서로 친해지는 것이다."라고 하였는데, 이것이 어찌
관중을 두고 하는 말이 아니겠는가? 안자는 (대부 최저의

반역으로) 제나라 장공이 죽었을 때, 시신 앞에 엎드려 소리 높여 울고 군신의 예를 다하고 떠났다. 그를 어찌 "정의를 보고도 실천하지 않는 비겁한" 자라고 할 수 있겠는가? 왕에게 간언할 때는 왕의 얼굴빛에 조금도 구애받지 않았으니, 바로 "조정에 나아가서는 충성을 다할 것을 생각하고, 물러나서는 허물을 보충할 것을 생각한다."라는 것이 아니겠는가? 오늘날 안자가 살아 있다면, 나는 그를 위해서 채찍을 드는 마부가 되어도 좋을 만큼 그를 흠모한다.

3 흙수저에서 약소국들의 '합종'을 이룬 거인으로
: 소진

오스트리아 빈의 고급 호텔에서 창문 밖으로 돌을 던지면 세 번 중 한 번은 간첩이 맞는다는 말이 있다. 빈에는 국제기구가 많이 모여 있기에 자국의 이익을 위해 비밀리에 활동하는 정보요원이 그만큼 많다는 의미일 것이다. 천하의 종주국인 주나라가 '뇌사 상태'에 빠졌던 전국시대에 제나라의 수도 임치臨淄는 당시 가장 번화한 '국제도시'로 최고의 학술 아카데미였던 직하학궁(稷下學宮. 중국의 플라톤 아카데미라고 할 만하다.)이 설립되어 있었다. 일급의 사상가는 물론이고 각국에서 파견한 간첩들이 임치로 모여들었다. 그중 한 사람이 소진蘇秦이다. 간첩이란 말을 들으면 왠지 부정적 느낌이 들지만 예나 지금이나 국가가 존재하는 한 간첩은 불가피하고 불가결한 존재다. 흔히 간첩間諜이라고 붙여서 말하지만 '간間'과 '첩諜'은 구분된다. 간은 작은 간첩, 첩은 큰 간첩이다. 간이 더 오래된 말이고 첩은 나중에 쓴 말이다. 『손자병법孫子兵法』의 마지막 편이 「용간用間」이다. 지피지기知彼知己 중에 지피의 방법 중 하나가 간첩의 활용이다. 소진은 물론 큰 간첩이었다.

합종책의 대표자, 소진

소진은 장의張儀와 함께 종횡가縱橫家를 대표하는 인물로 알려져 있다. 종횡가는 전국시대에 권모權謀나 책략, 언변 등을 바탕으로 제후들에게 유세하며 정치 외교 활동을 펼친 일군의 사람들을 말한다. 여기서 '종횡'은 '합종合縱'과 '연횡連橫'을 합쳐 부른 말인데, 합종과 연횡은 다르다. 천하를 세로로 묶는 합종은 "여러 약한 나라가 합쳐 하나의 강국 즉 진나라를 공략"하는 것이고, 서쪽 진나라와 동쪽의 제나라를 가로로 잇는 연횡은 반대로 이러한 동맹을 깨고 "하나의 강국을 섬겨 여러 약소국을 공략하는" 전략을 의미한다. 소진은 합종책을, 장의는 연횡책을 펼친 대표적 인물이다. 어떤 중국의 작가는 소진을 미국의 전 국무장관 키신저에 비견하는데 적절한 비유가 아닐 수 없다. 키신저가 소련을 견제하기 위해 당시 적대관계에 있었던 중국과의 수교에 커다란 역할을 했듯이 소진도 전국시대의 여러 나라 왕을 설득하는 등 종횡무진 활약하면서 진나라에 대항하는 동맹을 결성하였다.

지금 세계에서 최강국인 미국과의 관계를 어떻게 설정하느냐가 모든 나라의 주요 외교 과제인 것처럼 전국시대 중후반에 이르면 제후국들에게는 진나라와 맞서느냐, 아니면 동맹을 맺느냐가 중요한 문제가 되었다. 『맹자』에 경춘景春이라는 사람이 "그들이 한번 노怒하면 제후들이 두려워하고 편안히 거居하면 천하가 조용하니, 공손연公孫衍과 장의 같은 이야말로 진정한 대장부가 아니냐?"고 묻는 대목이 나온다. 이에 대해 맹자는 "부귀로 타락시킬 수 없고 빈천으로도 뜻을 바꾸게 할 수 없으며 위세와 무력으로도 굴복시킬 수 없는 이가 진정한 대장부"라고 반박한다.(「등문공滕文公 하」) 여기서 맹자는 도덕적 견지에서 종횡가를 비판하지만 오히려 당시 종횡가의 위세가 얼마나 대단했는지 시사해준다. 흥미로운 것은 이 대화에서 공손연과 장의 같은 종횡가를 거론하면서 가장 유명한 소진을 언급하지 않았다는 점이다. 사실 공손연은 합종책의 개창자이고 장의는 연횡책의 창시자

다. 열전에는 소진이 죽은 뒤 장의가 활동을 시작했다고
나오지만, 최근 연구에 따르면 소진이 활동한 시기는 장
의보다 25년 정도 늦다고 한다.

좌절을 디딤돌로 삼다

소진은 동주東周의 수도 낙양雒陽의 빈한한 가정에서 태어
났다. 제나라에 유학 가서 귀곡鬼谷 선생(또 다른 제자로는
손빈孫臏, 방연龐涓, 장의가 있다.)을 사사하는 등 열심히 공
부했지만 별다른 성과를 거두지 못하고 고향에 돌아오자
집안 식구들에게조차 냉대를 받는다. 소진은 이에 욕됨
을 견디고 두문불출 "송곳으로 허벅지를 찔러가며" 더욱
분발, 노오력한다. "선비로서 고개를 숙여가며 책을 읽었
지만 어떤 존엄이나 영달도 얻지 못한다면 제아무리 책
을 많이 읽은들 무슨 소용이 있는가?" 사실 책을 많이 읽
으면 부귀영화는커녕 반 미치거나 돈키호테처럼 완전히
돌아버리는 경우가 있으니 조심해야 한다. 공공도서관에
서 정신이 온전치 않은 분과 마주치는 일이 가끔 있는데
나는 그때마다 나도 그렇지는 않은가 자문할 때가 있다.

소진은 미치기는커녕 책을 '실용적으로' 살아 숨 쉬게 잘 읽어 마침내 당대의 군주를 '구워삶을 수 있는' 유세술을 터득한다. 처음에 소진은 자기 고향 주나라에서, 그리고 서쪽의 진나라에서, 또 동쪽의 조나라에서 번번이 실패한다. 하지만 굴하지 않고 북쪽의 연나라로 가서 마침내 합종책을 받아들이는 군주를 만난다. 연나라 문후文侯의 신임을 발판으로 해서 세 치 혀로 나머지 다섯 나라의 임금을 차례대로 설득한다. 그 가운데에서 위나라 양왕襄王을 설득하는 장면을 소개해본다.

연횡책을 내세우는 자들은 대왕을 위협하여 호랑이와 이리 같은 진나라와 친교를 맺도록 하여 진나라가 천하를 침략할 수 있게 만듭니다. 갑자기 진나라가 왕의 나라로 쳐들어와 해롭게 할 우려가 있는데도 그 재앙은 돌아보지 않습니다. 그들은 강대한 진나라의 위세를 업고 안으로 자기 나라의 군주를 위협하니, 이보다 큰 죄가 어디 있겠습니까? 위나라는 천하의 강대한 나라이고 대왕께서는 천하의 현명한 왕입니다. 지금 대왕께서는 서쪽으로 향하여 진나라를 섬기며, 스스로 진나라의 동쪽 울타리 국가를 자임하면서 (진나라가 순수巡狩할 것을 대비해) 제왕의 궁전을 짓고 진나라의 복식 제도를 받아들이며, 진나라 종묘의 춘추 대제에 참배할 뜻을 가지고 있습니다. 저는 왕을 위하여 이것을 부끄럽게 여깁니다.

소진은 이런 식으로 각국의 임금들에게 유세하여 마침내 여섯 나라의 재상 인수(印綬: 벼슬에 임명될 때 왕에게서 받는 일종의 징표)를 차고 진나라에 대항하는 '연합사령관'이 되었다. 욕됨을 참고 견디며 분투해서 일생의 최정점에 오른 것이다. 예전에 실패하고 돌아왔을 때 밥도 잘 주지 않고 업신여기던 형수가 공손하게 대하자 소진은 탄식한다. "똑같은 사람의 몸이건만 부귀해지면 친척도 두려워하고, 비천해지면 업신여기니, 하물며 일반 사람들이야 오죽하랴! 만약 내게 낙양성 가까이에 비옥한 땅 두 마지기만 있었던들 오늘날 내 어찌 여섯 나라의 재상 인수를 찰 수 있었겠는가?" 좌절을 디딤돌로 삼았던 소진이 세태인정에서 느낀 감상에는 자신에게 닥친 곤욕에 굴하지 않고 마침내 『사기』를 완성시켰던 사마천 자신의 심정도 얼마쯤은 들어 있으리라. 여섯 나라의 합종으로 진나라 군사는 15년 동안이나 함곡관(函谷關: 주나라 이래 12개 왕조의 수도가 있던 관중 지역의 동쪽 입구. 관중과

화북평원을 분리하는 가장 중요한 관문)에 머무르며 중원을 넘보지 못했다.

연나라의 간첩이 되다

어렵게 유지되던 동맹은 진나라의 반격으로 깨진다. 앞서 밝혔듯이 연횡책이란 여섯 나라의 동맹을 깨서 진나라가 패권을 차지하는 전략으로 각국의 이익이 조금씩 다른 것을 이용, 작은 나라가 자기만의 이익을 위해 약속을 깨게 만드는 것이다. 진나라의 서수(犀首: 위나라의 관직명으로 공손연을 말한다. 합종책의 창시자이지만 장의가 죽은 후 진나라의 재상이 되어 연횡책을 구사한다.)는 제나라와 위나라를 속여 함께 조나라를 치게 만들었다. 당시 합종 동맹의 중심인 조나라에 와 있던 소진이 이 때문에 연나라로 돌아가자 동맹은 와해되었다. 이후 소진은 연나라의 전략적 간첩으로 변신한다.

소진은 왜 위험을 무릅쓰고 연나라의 간첩이 되었을까? 연나라는 소진이 여섯 나라의 재상 인수를 차게 된 영광이 시작된 나라였다. 아마 자신을 처음 알아준 연나

라에 보은하고 충성하려는 마음이 있었을 것이다. 그가
제나라에 파견되어 한 일은 크게 두 가지다. 하나는 제
나라가 빼앗은 성 열 개를 한 명의 병졸도 죽게 하지 않
고 되찾아온 일이고, 다른 하나는 제나라를 피폐하게 만
든 일이다. 제나라 선왕宣王이 죽자 아들 민왕湣王을 설득
하여 선왕의 장례를 성대하게 치르게 하고, 커다란 궁궐
과 어마어마한 원림園林을 조성하게 만든 것이다. 표면적
으로 보면 제나라 왕은 정성을 들여 효도를 한 것이지만
이는 제나라의 국력을 약화시켜 연나라에 유리한 환경을
조성하고자 한 소진의 계략이었다.

　　제나라 대부 가운데 왕의 총애를 두고 소진과 다투
는 자가 많았다. 그중 한 명이 사람을 시켜 소진을 죽이
려 했지만 깊은 상처를 입히는 데 그쳤다. 왕이 자객을
찾게 했으나 못 찾자 소진이 죽음을 눈앞에 두고 말했다.
자신이 죽고 나면 거열형(두 다리를 두 대의 수레에 한쪽씩
묶어서 몸을 두 갈래로 찢어 죽이는 형벌)에 처하고 저잣거
리에 효시한 후 연나라의 간첩이었음을 폭로하라고. 그
러면 자객 스스로 나타날 것이라고. 과연 소진 말대로 자
기가 역적을 죽였다고 떠벌리는 자가 나타나 왕이 잡아
처형했다. 그러나 이 이야기는 허구일 가능성이 높다. 이

와 유사한 이야기가 「오기열전吳起列傳」에도 나온다. 도왕을 도와 초나라를 강대하게 만든 위나라 출신 장군 오기가 귀족들의 미움을 샀고, 도왕이 죽자 귀족들과 대신들이 난을 일으켜 오기를 공격했다. 오기는 화살에 맞아 죽으면서 도왕의 시신에 엎어졌고 도왕의 시신에도 화살이 꽂혔다. 도왕을 이어 즉위한 태자는 왕의 시신에까지 화살을 쏜 자들을 모두 잡아 죽였다. 오기는 죽어서까지 자신을 쏘아 죽인 일에 연루된 70여 집안을 몰살시켰다.

이처럼 소진의 일생은 크게 두 가지로 나눌 수 있다. 첫 번째는 진나라에 대항하는 6국(제, 초, 조, 위, 연, 한)의 동맹관계를 형성한 일이고, 다른 하나는 제나라를 약화시키기 위해 연나라 간첩으로 활동한 일이다.

소진의 삶에 대한 평가

사마천은 소진의 일생을 '지智'라는 한 글자로 요약한다. 한 나라의 임금을 설득하기는커녕 만나기도 힘든 일인데, 서로 이해관계가 다른 여섯 나라의 임금을 모두 만나고 또 설득해서 동맹관계로 결속시킨 것은 제로의 가능성에 도전하는 일이었다. 당시의 국제정세나 각 나라가 처한 지정학적 여건, 각국의 역사나 군주의 심리를 꿰고 있어야 함은 물론이고, 위험을 무릅쓰는 담대한 행동력이 없으면 불가능한 일이었다.

소진이 죽고 나서 사마천이 열전을 쓰기까지 200여 년 동안 진나라가 천하를 통일했다가 얼마 후 다시 분열했고, 급기야는 멸망했다. 분서갱유를 통해 기록이 사라졌기 때문에, "소진의 행적에 대해서는 세상에 퍼진 여러 이설이" 많았다. 진나라에 맞서 싸운 소진을 두고 갖가지 영웅담이 퍼진 것은 진나라의 폭압적인 통치에 대한 반감이 가득했기 때문이었을 것이다. 죽으면서까지 자신을 찌른 자에게 보복하는 이야기도 그가 얼마나 명민한 사람인지를 드러내기 위한 문학적 장치일 가능성이 크다. 소진 때문에 멸망을 재촉하게 된 제나라 사람이 아니라면 소진에게 도덕적 비판을 가하는 게 온당한 일일까? 약한 나라를 규합해 강자에 대항한 인물이 아니던가? 이 시대의 '진나라'를 억제할 인물은 누구일까?

사마천의 논평

태사공은 말한다. 소진의 형제 세 사람은 모두 제후들에게 유세하여 이름을 드날렸으며, 그들의 술수(종횡책)는 권변(權變: '권'은 영향력, '변'은 외교방침과 동맹대상을 바꾸는 것)에 뛰어났다. 소진이 제나라에서 반간(反間: 상대의 첩자를 이용하여 적의 내부를 이간시킴. Double Agent)의 혐의를 받고 죽으니 천하 사람들이 모두 그를 비웃으면서 그의 술수를 배우기를 꺼렸다. 그러나 소진의 행적에 대해서는 세상에 퍼진 여러 이설이 존재하는데, 이는 시대를 달리하는 비슷한 행적을 모두 소진에게 끌어다 붙였기 때문이다. 소진이 평범한 집안에서 태어났지만 마침내 여섯 나라를 연합시켜 합종을 맺게 한 것은 그의 지혜가 보통 사람보다 뛰어났다는 사실을 의미한다. 그래서 나는 시대의 순서에 따라 그의 경력과 행적을 서술하여 그가 홀로 나쁜 평가를 뒤집어쓰지 않도록 하였다.

4 도둑누명을 쓴 자에서 천하통일에 공헌한
유세가로: 장의

소진을 다루었으니 장의張儀를 언급하지 않을 수 없다. 세상사 다 짝이 있기 마련인데 소진과 장의는 한 쌍의 짝이다. 앞 장에서 밝혔듯이 소진의 합종책이 진나라에 대항하는 전략이었다면 장의의 연횡책은 진나라와 화친하는 방책이었다. 「장의열전張儀列傳」을 읽다 보면 라이벌 관계였던 소진을 언급하는 이야기가 곳곳에서 나온다. "장의는 천하의 현명한 선비이니, 나 같은 것은 도저히 그에게 미치지 못한다."(소진) "저는 분명 소진에 미치지 못하오."(장의) "일개 사기꾼에 불과한 소진을 통해 천하를 경영하고 제후들을 합종하려고 했으니 실패하리라는 것은 너무도 명백합니다." "소진은 제후들을 현혹시켜 옳은 것을 그르다 하고 그른 것을 옳다고 하였습니다."(장의) 등등.

열전에는 두 사람 모두 귀곡 선생에게 동문수학한

사이였지만 장의가 소진보다 약간 늦게 정치 무대에 등장했다고 나온다. 그런데 중국 학계에서는 1972년 마왕퇴 한묘에서 발굴된『전국종횡가서戰國縱橫家書』라는 자료를 근거로 소진과 장의가 활동한 시기가 같지 않고, 장의가 소진보다 대략 25년 정도 앞선 인물이라고 본다. 발굴 자료를 기초로 열전의 내용을 의심하는 경향이 지배적이지만, 어느 쪽이 맞는지, 과연 사마천이 생전에 이 자료를 보지 못했는지는 논란이 끝나지 않아서 여기서는 판단을 유보한다. 분명한 것은 장의가 소진보다 '성공적' 삶을 살았다는 점이다.

압력과 기만의 외교술

일단 장의는 역사의 승리자인 진秦나라에서 두 번에 걸쳐 재상을 11년 동안이나 했고, 고향 위나라로 돌아가서도 역시 재상의 지위에 두 번 올랐다. 첫 번째는 4년, 두 번째는 1년 정도를 재상으로 지냈는데, 재상의 자리에서 죽음을 맞았다. 한때 여섯 나라의 재상 인수를 허리에 차기도 했지만 간첩으로 활동하다가 거열형이라는 비참한 최후를 마친 소진과 대비된다.

「장의열전」은 전국시대 종횡가들의 정치적 주장과 책략을 기록한 『전국책戰國策』에서 관련 내용을 선별하고 가공해서 구성되었다. 소진의 경우도 마찬가지다. 『전국책』에서 차지하는 비중은 장의가 소진보다 월등히 높다. 소진의 기록은 14편, 장의는 40편이다. 소진이 합종을 성사시키고 발전시켰다면 장의는 연횡의 구상을 구체화시켜 진나라 외교 정책으로 구현했다. 그렇기에 두 사람이 전국시대에 활약한 많은 유세가 중에서 종횡가의 대표로 꼽히게 되었다.

장의도 소진처럼 여섯 나라의 제후에게 모두 유세하지만(유세 순서는 위, 초, 한, 제, 조, 연) 진나라가 최후의 승자가 되는 데 장의가 공헌한 바는 크게 보면 두 가지다. 하나는 위나라와 제나라의 동맹을 깬 것이고, 다른 하나는 제나라와 초나라의 동맹을 깬 것이다. 후자가 보다 중요하다. 먼저 위나라의 지리적, 지정학적 조건의 약점에 착안해서 진나라와 동맹을 맺도록 위나라 양왕을 위협한 장면을 보자.

위나라는 땅이 사방 1000리가 못 되고 병졸도 30만에 불과합니다. 땅은 모두 평평하여 제후들이 사방에서 쳐들어올 수 있고, 높은 산이나 큰 하천의 장애가 없습니다. 신정 新鄭에서 대량大梁까지는 200여 리에 불과해서 마차든 보병이든 지치지 않고 도달할 수 있습니다. 위나라는 남쪽으로 초나라와 국경을 접하고, 서쪽으로 한나라와 경계를 이루며, 북쪽으로는 조나라, 동쪽으로는 제나라와 국경을 맞대고 있어 사방을 군대가 지켜야 하는데, 변방을 지키는 부대가 10만을 넘습니다. 위나라의 지세는 정말이지 전쟁터입니다. 위나라가 남쪽의 초나라와 잘 지내면서 제나라와 잘 지내지 못하면 제나라가 (위나라의) 동쪽을 공격할 것입니다. 동쪽의 제나라와 잘 지내면서 조나라와 불화하면 조나라가 북쪽을 공격할 것입니다. 한나라와 불화하면 한나라가 서쪽을 칠 것이며, 초나라와 친하지 못하면 초나라가 남쪽을 공격할 것입니다. 이것이 이른바 사분오열의 형세라는 것입니다.

소진이 위왕에게 유세할 때 위나라가 초나라 못지않은 강국이라는 점을 강조했다면, 장의는 위나라가 지리적으로나 지정학적으로 사분오열될 형세에 놓인 취약한 나라임을 설파했다. 같은 나라에 대한 평가가 서로 다른 전략적 관점에 따라 확연히 갈리는 점이 흥미롭다.

또 하나는 초나라를 속여 제나라와의 동맹을 깨게 만든 것이다. 중원의 진晉나라가 분열되어 생겨난 한, 위, 조 즉 삼진三晉이 점차 약해지자 이제 진秦나라 외교 전략은 초나라를 향한다. 장의는 일찍이 초나라에서 미관말직에 있을 때 옥을 훔친 도둑으로 몰려 곤욕을 치른 적이 있어 초나라와 악연도 있었다.

제나라와 맺은 합종의 약속을 깬다면 상商과 오於 일대의 땅 600리를 초나라에 바치고, 진나라 공주를 왕의 첩이 되게 할 것이며, 진나라와 초나라는 서로 며느리를 맞이하고 딸을 시집보내는 사이가 되어, 영원히 사돈의 나라가 되게 하겠습니다. 이는 북쪽으로는 제나라를 약화하고 서쪽으로는 진나라를 이롭게 하는 계책으로 이보다 더 좋은 방법은 없습니다.

상오商於의 땅은 진나라와 초나라의 접경지대에 있는 땅으로 진나라의 전략적 요충지이자 초나라의 발상지였다. 초나라에 매우 중요한 땅으로 제나라와 동맹을 깰 정도로 솔깃한 제안이었다. 물론 제나라와 동맹을 깬 대가는 참혹한 재앙이었다. 멸망의 씨앗이었다.

현대국가와 전국칠웅

군사적 압력과 외교적 기만을 동원한 장의의 유세술을
보고 있노라면 모 대국의 국무부장관이 떠오른다. 그 나
라는 외교정책도 국무부장관Secretary of State이 처리하니
천하가 다 자기 나라인 꼴이다. 아예 외무부 장관이 없
다. 말이 나온 김에 전국시대 칠웅(연, 위, 제, 조, 진, 초, 한)
을 지금의 국제적 형세와 비교해보면 재미있을 것이다.
진나라는 이미 언급했으니 차치하고 러시아는 조나라,
중국은 초나라, 제나라는 일본, 한나라와 위나라는 유럽
연합에 대응한다고 할 수 있다. 연나라는 커다란 존재감
이 없기에 생략한다. 춘추시대 중원의 강국 진晉나라에
서 분열된 나라 중에 제나라와 초나라라는 전통적 대국
을 제외하면 조나라가 군사적으로 가장 강한 나라였다.
한나라와 위나라는 중원을 차지한 국가였으나 세력이 많
이 약화되었다는 점에서 EU에 비견할 수 있다. 제나라는
경제적으로 부강하고 항상 진나라에 잘 보이려고 했다는

점에서 일본에 대입시킬 수 있겠다. 중국을 초나라에 대응시킨 것은 일단 국토가 넓고 중원의 국가에게 늘 타자 취급을 받았다는 점에서 그렇다. 이러한 비교는 정확한 것은 아니고 또 정확할 수도 없지만 전국시대의 상황을 좀 더 실감나게 이해하도록 해준다.

소진의 모욕을 받고 분발하다

「장의열전」을 읽고 마오쩌둥은 "사람은 압력이 없으면 진보할 수 없다."라는 독특한 소감을 남겼다. 아마 마오도 한때 중앙에서 밀려나 역경을 겪었기 때문에 공감 가는 바가 있었을 것이다. 열전에 따르면, 장의가 진나라에 가서 출세하게 된 계기는 바로 소진이 의도한 모욕이었다. 소진은 장의를 조나라에 불러들여 모욕을 준 이유를 자신의 가신에게 설명했다.

장의는 천하의 현명한 선비이니 나는 애초에 그를 뛰어넘을 수 없네. 지금은 운이 좋아 내가 먼저 등용되었을 뿐이네. 진나라의 실권을 잡아 휘두를 사람은 장의뿐일세. 그러나 그는 가난하여 다른 사람에게 등용되지 못했네. 나는 그가 작은 이익을 탐내어 큰 뜻을 이루지 못할까 염려스럽네. 그래서 일부러 그를 불러다 모욕을 주어서 그의 뜻을 북돋운 것일세.

마치 소진이 가족들에게 냉대받은 것을 계기로 분투 노력하여 성공의 길로 나아갔듯이 장의도 이미 조나라에서 출세한 동문 소진을 찾아갔다가 마부나 첩들이 먹는 음식을 받았을 뿐 아니라 욕을 한 바가지 얻어먹는 모욕적 대접을 받고 분발했다고 한다. 만약 조나라 재상의 지위에 올랐던 소진이 자신을 찾아온 동문을 잘 대접했더라면? 아마도 장의는 친구 덕에 조나라에서 '과장' 정도의 지위에 올라 안주했을지도 모르고, 그랬다면 격분해서 진나라에 가는 일도 없었을 것이다. 따라서 재상이 되는 일은 더더욱 없었을 것이다. 인간에게 압력이 있어야 함은 기름을 짜는 것과 같은 이치. 압력이 없으면 기름이 나오지 않는 법. 장의의 '기름'을 짜낸 것은 소진의 모욕. 그것이 호의에서 나왔든 악의에서 나왔든 중요하지 않을 수 있다. 다른 사람의 비판이나 자극은 개인의 발전에 긍정적인 힘이 되기도 한다.

소진이 여러 약자를 규합하여 하나의 강국 진나라에 맞섰다면 장의는 진나라의 강한 힘에 의거하고 기만적 수단을 동원해 초나라를 약화시켰다. 사마천도 장의를 평가하면서 "(장의는) 소진보다 심한데 세상 사람들이 소진을 더욱 미워하는 것은 그가 먼저 죽었기 때문에 장의가 그의 단점을 부풀려 들추어내고 자신의 주장을 유리하게 하여 연횡론을 이루었기 때문"이라고 하였다. 사마천은 두 사람 다 "나라를 기울게 하는 위험한 사람[傾危之士]"이라고 하면서도 소진에게 동정적이고 장의에게 비판적이었다. 성공이나 성패가 물론 중요하지만 성패를 가지고 영웅을 논하는 것이 아니다.

사마천의 논평

삼진(三晉: 원래 진晉나라 땅이었던 조나라, 위나라, 한나라 지역)에는 권변에 뛰어난 유세가들이 많았다. 합종론과 연횡론을 주장하여 진秦나라를 강하게 만든 자들은 대개 모두가 삼진 사람들이다. 장의가 일을 꾸민 것은 소진보다 더 심한 데가 있다. 그런데도 세상 사람들이 소진을 더욱 미워하는 것은 그가 먼저 죽었기 때문에 장의가 그의 단점을 부풀려 들추어내고, 자신의 주장을 유리하게 하여 연횡론을 이루었기 때문이다. 요컨대 이 두 사람은 참으로 나라를 기울게 하는 위험한 인물이었다고 하겠다.

5 예로 나라를 구한 강호의 화신: 위공자

인공지능을 장착한 로봇이 인간을 따라잡는 속도도 빠르지만 오히려 인간이 기계를 닮아가는 속도가 더 빠른 게 아닌가 갸우뚱해지곤 한다. 그럴 때 문득 중국 전국시대에 살았던 위공자魏公子의 삶을 떠올려본다. 모든 인간은 평등하게 태어났다는 생각이 자명하고 당연하게 받아들여지는 세상이지만, 과학기술이 발전하면서 불평등한 현실이 완화되기는커녕 점점 더 심해지고, 인간이 기계처럼 변하는 것이 아닌가 하는 의구심도 들기 때문이다. 반면에 불평등이 '디폴트'처럼 주어진 시대에도 위공자처럼 일국의 공자로 태어났지만 현인이건 불초한 자건 가리지 않고 모두 예로써 대접했으며, 자신이 부귀하다고 교만 떨지 않았던 인물이 있었다. 그래서 그의 열전을 읽으면 마음이 호방해지면서도, 다른 한편 그의 고독하고 불우했던 말년을 생각하면 쓸쓸해진다.

전국시대 최고의 명망가

위공자는 누구인가? 주변에 3000명에 달하는 식객을 거느려 닭 울음소리 낼 줄 아는 사람, 개 도둑 등 별의별 사람이 많았다는 맹상군孟嘗君은 알아도 위공자는 모르는 독자가 많을 것이다. 위공자의 이름은 위무기魏無忌. 꺼리는 것이 없다〔無忌〕는 이름에서 벌써부터 패기가 넘친다. 그는 위나라 소왕昭王의 막내아들이며, 안희왕安釐王의 배다른 동생이다. 봉호封號는 신릉군信陵君이다. 위공자는 천성이 어질고 사람을 가리지 않고 예로 대하니 사방에서 선비들이 곁으로 모여들어 빈객이 3000명에 달했다고 한다. 당시 신릉군이 현명한 데다가 빈객도 많이 거느리고 있기에 다른 제후들이 10여 년 동안이나 감히 위나라를 침범할 엄두를 내지 못했다고 한다. 조나라의 평원군平原君(趙勝), 초나라의 춘신군春申君(黃歇), 제나라의 맹상군〔田文〕과 함께 전국시대의 사四공자(公子: 중국 춘추전국 시대 각국의 제후, 종실, 공족의 자제를 말한다.)로 불린다. 그중에서도 당시 제후들 사이에서 가장 명망이 높았던 이가 위공자였다. 아니 제후들보다 명망이 더 높았다. 사마천이 열전을 쓰면서 다른 이들은 평원군, 춘신군, 맹상군이라고 하며 봉호를 내걸었지만 위무기만은 소왕의 아들이 자 안희왕의 동생으로 명실상부한 공자였기에 「신릉군 열전」이 아니라 「위공자열전」이라고 하였다. 열전에 그를 공자라고 칭한 곳이 무려 147번이나 나온다.

어느 시대나 국가가 부강하기 위해서는 인재가 가장 중요한데, 좋은 인재를 선발하려면 먼저 인재가 풍부하게 축적되어 있어야 한다. 아무리 훌륭한 방법으로 인재를 선발한다고 해도 인재의 풀 자체가 빈약하면 빼어난 인재를 등용하기 어렵다. 전국시대에 천하 통일의 기운이 무르익어 가는 가운데 각 나라에서는 부국강병을 위해서 널리 식객을 받아들여 인재를 기르는 양사養士의 풍조가 유행했다. "천하의 여러 공자 역시 선비를 좋아했다." 맹상군도 식객들을 가리는 바 없이 잘 대하기는 했지만 "식객을 좋아하여 스스로 기뻐했을" 뿐이었다. 평원군은 많은 식객을 거느릴 뿐 모수毛遂 같은 인재가 스스로 자신을 추천할 때까지 알아보지 못했다. 춘신군은 주영朱英의 올바른 충고를 받아들여 간악한 이원李園을 끊어내야 했는데 그러지 못해 오히려 자신이 죽었을 뿐만 아니라 일가가 몰살당했다.

신릉군만이 숨어 사는 은자인 대량(大梁: 현재 허난성

카이펑)의 이문(夷門: 성의 동문) 문지기 후영侯嬴을 찾아가 만났고, 백정 주해朱亥와 같은 미천한 이들과 사귀는 것을 부끄러워하지 않았다. 시인 백거이白居易가 일찍이 중은中隱을 찬미한 시를 쓴 적이 있는데 요지는 이렇다. 산속에 숨으면 조용해서 좋기는 하지만 너무 적막하고, 조정이나 저잣거리에 숨으면 적막하지는 않지만 시끄럽다, 그러니 너무 바쁘지도 않고 너무 한가하지도 않은 작은 관직에 머물면서 사는 중은이 최고라는 것이다. 아마도 후영과 주해 같은 이들은 생계를 위해 작은 일을 하면서 살아가던 은자였을 것이다. 신릉군은 명망을 얻기 위해 겉으로만 제스처를 취한 것이 아니라 진정으로 그들을 믿었으며 또한 그들의 조언을 진지하게 받아들였다. "신릉군은 태사공의 흉중胸中의 득의得意의 인물이고, 그의 열전 또한 태사공의 득의의 문장"(명나라 모곤茅坤)이라는 평이 나온 데엔 다 이유가 있다.

병권을 탈취해 나라를 구하다

위공자의 업적으로 두드러지는 일은 군사적으로 당시 최

강국인 진나라의 군대를 두 번 격퇴시킨 일이다. 이는 거의 "춘추오패의 공적功績에 비견"되는 일이었다. 한 번은 진나라의 침략을 받은 이웃 조나라를 구한 일이고, 다른 한 번은 망명지인 조나라에서 고국으로 돌아가 진나라를 격파한 일이다. 그런데 이 두 가지 공적은 모두 가까이 지낸 후영, 주해, 모공毛公, 설공薛公 덕분이다.

먼저 첫 번째 일이다. 위나라 안희왕 20년, 진나라 소왕襄王은 장평長平에서 조나라 군대를 대파하고 나서 조나라의 도성인 한단邯鄲을 포위했다. 조나라의 평원군(부인이 신릉군의 누나)은 위나라 왕과 신릉군에게 여러 차례 구원을 청했다. 하지만 당시 위나라는 마릉馬陵의 전투에서 제나라에 참패한 이후 이미 쇠락의 길을 걷고 있었기 때문에 남을 도울 형편이 아니었다. 더욱이 최강국 진나라가 만약 조나라를 돕는 나라가 있다면 조나라를 함락하고 나서 공격하겠다고 위협하고 있었다. 그렇다고 강 건너 불구경하듯이 가만히 있을 수도 없는 노릇이었다. 훗날 전국시대 여섯 나라가 진나라에 의해 멸망 당한 순서(한, 조, 위, 초, 연, 제)를 보면 알 수 있듯이 조나라와 위나라는 순망치한脣亡齒寒의 관계로 밀접하게 얽혀 있었다. 조나라를 위험에 방치하는 것은 결국 자신의 멸망을 재촉하는 것이기도 했다. 위나라 왕은 일단 진비晉鄙 휘하의 10만 대군을 원군으로 보내기는 했지만 사자使者를 시켜 싸움을 벌이지 말고 진을 치고 사태를 관망하게 했다.

　속이 타들어 간 신릉군은 나름 여러 가지 경로로 빈객을 동원해서 싸움을 하도록 왕을 설득하고자 했으나 위나라 왕은 끝내 받아들이지 않았다. 우여곡절 끝에 신릉군은 왕의 총애를 받는 첩 여희如姬를 통해 병부兵符를 훔치고, 주해로 하여금 죄 없는 장수 진비를 철퇴로 죽이게 하여 병권을 차지했다. 이는 모두 후영의 아이디어였다. 이렇게 해서 차지한 10만의 군사 중에서 부자가 같이 온 병사는 아버지를, 형제의 경우는 형을, 부모를 봉양해야 할 외아들은 모두 돌려보내고 남은 군사 8만을 이끌고 공격해서 진나라를 퇴각시켰다. 유명한 절부구조(竊符救趙: 훔친 병부로 조나라를 구한다는 뜻. 큰일을 이루기 위해 사소한 정이나 의리는 버려도 무방하다는 것을 비유한다.)의 고사는 바로 이 사건을 담고 있다.

모공과 설공의 충고와 귀향

두 번째 일이다. 강대국에 맞서 이웃나라를 구하는 공적을 남겼지만 왕 몰래 병부를 훔치고, 죄 없는 장수를 죽이는 큰 죄를 범했기 때문에 신릉군은 위나라로 돌아갈 수 없었다. 군대를 돌려보내고 몇몇 빈객들과 조나라에 남았다. 신릉군이 모국에서 곤란한 처지에 빠지자 조나라 왕은 그에게 다섯 개의 성을 하사하려고 했다. 신릉군에게 교만한 마음이 모락모락 피어올랐다. 조물주 위에 건물주라는 말도 있지만 성 다섯 개의 주인이 된다니 교만해지지 않을 수 있겠는가? 더구나 그는 조나라에서 영웅이었다. 주위의 빈객이 즉각 충고한다.

무릇 일에는 잊어서는 안 될 것이 있으며, 혹은 잊지 않으면 안 될 것이 있습니다. 대저 다른 사람이 공자에게 베푼 덕은 잊어서는 안 될 것이고, 공자께서 남에게 베푼 은혜는 잊으셔야 합니다.

위공자는 바로 자신의 잘못을 고친다. 조나라 왕은 그와 함께 밤새 통음을 하면서도 다섯 개의 성을 하사하지 못했다. 너무나도 극진히 사양했기 때문이다. 위공자는 결국 조나라에 남아서 10년 동안 고향으로 돌아가지 않았다. 그 사이 그는 모공과 설공을 사귀었다. 모공은 노름꾼이었고, 설공은 술 파는 사람이었다.

신릉군이 조나라에 머무는 동안 진나라는 위나라를 자주 공격했다. 군사적 역량을 갖췄을 뿐만이 아니라 제후 사이에서 명망이 높은 신릉군이 위나라에 없었기 때문이다. 위기에 빠진 위나라에서는 사신을 보내 귀국을 요청하지만 신릉군은 왕의 분노를 두려워하여 돌아가지 않는다. 그 뿐만이 아니라 위나라의 사신과 통한 자는 죽이겠다고 자기 휘하의 빈객들을 겁박했다. 그러니 감히 귀국을 언급할 수 없었다. 그런 와중에 모공과 설공이 찾아와 위험을 무릅쓰고 위나라로 귀국할 것을 충언한다. 조나라에서 존중받고 제후 사이에서 명성이 있게 된 것은 모두 위나라가 있기 때문이라고. 만약 돌아가지 않아서 위나라가 멸망의 지경에 빠진다면 무슨 면목으로 살아갈 수 있겠느냐고. 신릉군은 충고를 받아들이고 귀국한다. 위나라 왕은 그를 상장군에 봉했고, 그는 바로 제후들에게 자신이 위나라의 장군이 되었음을 통지한다. 다섯 나라의 제후들이 군대를 보내 위나라 구원에 나섰고 신릉군이 군대를 지휘해서 진나라를 격퇴했다.

강호의 영웅으로 기억되다

진나라의 군대를 두 번이나 격퇴해 더욱 명성을 높인 위공자도 말년에 술과 여자를 가까이하다가 술병으로 병사했다. 원래 주색을 좋아했기 때문이 아니라 진나라의 이간책에 놀아난 왕이 그를 의심해서 장수의 지위를 박탈했기 때문이다. 인후한 품성을 가졌을 뿐만이 아니라 숨어 있는 현자를 알아보고 사귀었으며 또한 불편한 조언을 수용할 줄 알았던 총명하고 호방한 위공자도 결국 왕의 의심 때문에 무너지고 말았다.

　　사마천은 대량의 옛터를 지날 때마다 성의 동문에 가보았다. 바로 신릉군이 후영을 찾아갔던 이문이다. 열전을 읽으면, 신릉군이 연회를 열어놓고 손님들을 기다리게 한 후 이문에 있는 후영을 찾아가서 마차의 상석에 앉히고 돌아오는 과정이 정말 감동적인 영화의 한 장면처럼 그려진다. 돌아오는 길에 후영은 수레를 돌려 친구 주해가 있는 시장의 푸줏간에 들르라고 요청한다. 시장

에 도착하자 후영은 수레에서 내려 주해를 만나 일부러
뜸을 들이면서 이야기를 나눈다. 그러면서 흘끔흘끔 곁
눈질로 신릉군의 표정을 살핀다. 공자의 낯빛은 초조하
기는커녕 더욱 부드럽다. 사실 이는 후영과 위공자가 시
장 사람들이 보라고 이심전심으로 벌인 '퍼포먼스'였다.

천자의 지위에 오른 한나라 고조 유방劉邦도 대량을
지날 때면 백성들을 시켜 신릉군에게 제사 지내게 했다
니 그들이 신릉군을 얼마나 사모했는지 알 수 있다. 선
적 정취가 가득한 산수시로 유명한 왕유王維도 「이문가
夷門歌」를 지어 후영과 주해 같은 하층민의 호방한 영웅
적 면모와 그들을 기용했던 신릉군의 정치적 풍모를 칭
송했다.

> 칠국의 패권 다툼 승부 나뉘기 전에〔七雄雌雄猶未分〕
> 성을 공격하고 장수를 죽인 것이 그 얼마뇨.〔攻城殺將何紛
> 紛〕
> 진나라 군대에 포위된 한단성 위급도 한데〔秦兵益圍邯鄲急〕
> 위왕은 두려워 평원군을 구하지 않네.〔魏王不救平原君〕
> 신릉군은 후영을 위해 마차를 세우고〔公子爲嬴停駟馬〕
> 공손히 고삐 잡고 자신을 더욱 낮추네.〔執轡愈恭意愈下〕

주해는 도축장에서 칼 쓰는 사람이고〔亥爲屠肆鼓刀人〕

후영은 이문을 지키는 하급관리였지만〔嬴乃夷門抱關者〕

강개한 마음으로 좋은 계책 올리고〔非但慷慨獻良謀〕

뜻과 몸을 함께 바쳐 은혜 갚았네.〔意氣兼將身命酬〕

바람 향해 목숨 끊어 신릉군과 송별하니〔向風刎頸送公子〕

일흔 노옹이 무얼 바라리.〔七十老翁何所求〕

　　한 수의 칠언고시에 「위공자열전」을 압축적으로 잘
담았다. 이것 말고도 이 고사를 노래한 시가 많아 위공자
이야기가 시인의 감성에 얼마나 울림을 주었는지 알 수
있다. 인터넷이나 사회관계망서비스는 없었지만 숨어 있
는 은자들의 명성이 '쩌렁쩌렁'해서 귀인들이 자신을 낮
춰 은자를 찾아가 만나곤 했던 '강호'가 존재했던 그 시
절이 왠지 그리워진다.

사마천의 논평

태사공은 말한다. "나는 대량의 옛터를 지나다가 이른바 이문이라는 곳을 물어서 찾아보니, 성의 동쪽 문이었다. 천하의 여러 공자 또한 선비들을 좋아했다. 그러나 신릉군만이 산속 깊이 숨어 사는 사람들과 만나고, 신분이 낮고 천한 사람들과 사귀는 것을 부끄럽게 여기지 않은 것이 진정이었다. 그의 명성이 제후들을 능가한 것은 괜한 것이 아니다. 한나라 고조께서도 대량을 지날 때마다 백성들을 시켜 신릉군을 제사 지내게 하고 그것이 끊이지 않게 했다."

"원한을 덕으로 갚으라![報怨以德]" 공자님 말씀 같다. 하지만 아니다.『노자』에 나오는 말이다. 그럼 공자의 생각은 어떨까? 원한을 덕으로 갚으면 덕은 무엇으로 갚아야 하나? 그렇기에 "원한은 직直으로 갚고, 은덕은 은덕으로 갚으라.[以直報怨 以德報德]"라는 것이 공자의 논리다. 여기서 '직直' 자는 '곧다'는 뜻이 아니라 '값 치值'의 의미다. 고어에서는 직直과 치值가 서로 통했다.(중국어 발음은 같다.) 그러니까 직으로 원한을 갚으라는 말은 해코지당한 만큼의 값어치로 갚으라는 뜻이다. 분노에 휩싸여 과하게 앙갚음을 한다든지, (위선적으로) 덕을 베풀 것이 아니라 원한의 값만큼 공정하게 갚아야 한다는 것이다. 심오한 깊이가 없어 보이지만 인정에 따른 철학이라고 할 만하다. 이 구절을 보면 "밥 한 그릇의 은덕에도 반드시 보답했고, 눈 한 번 치켜뜬 정도로 작은 원한도 반드시 갚았던〔一飯之德必償, 睚眦之怨必報〕" 범저范雎가 떠오른다.

말발로 재상이 되다

범저는 '구변口辯', 즉 말발로 진나라에서 재상의 지위에
올라 소양왕昭襄王을 보필하여 천하에 더 이상 진나라와
대적할 나라가 없게 만들어 불세출의 공을 세운 인물이
다. 또한 적절한 시기에 물러날 줄도 알아 천수를 누린
인물이다. 그는 위나라 사람이다. 위나라는 유능한 인재
를 놓치는 것으로 유명한데, 결국 그 때문에 망했다고 해
도 과언이 아니다. 사실 위나라는 가장 먼저 변법(세습제
도를 폐지하고 공적과 능력을 관직 임명의 기준으로 삼는 등
의 중대한 개혁조치)을 시도한 나라였는데 실패하고, 유능
한 장수이자 정치가인 오기를 초나라로, 변법가 공손앙公
孫鞅(상앙商鞅)과 연횡책의 장의는 진나라로 '방출'했으니
자기 스스로 무덤을 판 것이나 다름없다.

　범저도 원래는 위나라 왕을 섬기고자 하였지만 유세
하러 다닐 노잣돈도 없을 만큼 가난했기 때문에 먼저 중
대부中大夫 수가須賈의 문객門客이 된다. 수가가 제나라에

사신으로 갈 때 수행원으로 따라갔다가 제나라 왕에게 인정받고 상을 받았다. 이 일은 범저가 위나라의 비밀 정보를 누설했다고 하는 의심을 사게 했고, 수가의 시기심을 자극해서 수가가 위나라 재상 위제魏齊에게 고해바치는 일로 이어졌다. 결국 범저는 태형을 당해 초주검이 되었다가 간수의 도움으로 겨우 도망칠 수 있었다. 범저는 정안평鄭安平의 도움으로 숨어 지내면서 장록張祿으로 개명한다. 정안평은 때마침 위나라에 와서 인재를 구하던 진나라의 사신 왕계王稽의 하인으로 들어가 범저를 추천한다. 왕계는 범저의 능력을 알아보고 진나라로 데리고 돌아가 왕에게 천거한다.

진나라 소왕은 처음엔 왕계의 말을 무시했지만 범저가 간곡하게 써 올린 글을 보고 범저를 만난다.

저는 "대부의 집을 번창시킬 인재는 나라 안에서 찾고, 제후의 나라를 번창시킬 인재는 천하에서 찾는다."고 들었습니다. 천하에 현명한 군주가 있으면, 다른 제후들이 마음껏 인재를 얻을 수 없는 것은 무슨 이유이겠습니까? 현명한 군주가 인재를 제후들로부터 빼앗아 모으기 때문입니다. 좋은 의사는 환자의 생사를 알고, 훌륭한 군주는 일의 성패에 밝습니다. 이로우면 행하고 해로우면 버리고, 의심스러우면 조금 시험해보면 됩니다. (……) 지극히 중요한 문제에 관해서는 감히 글로 적을 수 없고, 또 하찮은 말은 들려드릴 만한 가치가 없습니다. (……) 제가 알현할 수 있도록 잠시 틈을 내주시기 바랍니다. 한마디라도 쓸모없는 것이 있으면 무거운 형벌을 달게 받겠습니다.

범저는 소왕을 만나 단숨에 사로잡는다. 소왕의 마음을 공략한 내용은 크게 두 가지다. 먼저 국내 정치에서 기득권층을 약화시키고 왕권을 강화한 일이다. 진나라 소왕은 56년에 달하는 재위 기간에 진나라 통일의 기초를 다지는 등 유능한 임금이었지만 당시 실권은 어머니인 선태후宣太后와 외삼촌인 양후穰侯(위염魏冉)에게 있었다. 범저는 이들을 제거해야 한다고 소왕에게 충언했다. 국제적으로는 삼진(한, 위, 조)을 넘어 멀리 있는 제나라를 공략하는 양후의 정책을 비판하고, 원교근공(遠交近攻: 멀리 떨어진 나라와 친교를 맺고 가까운 나라를 공격함)의 외교 정책을 펼치도록 했다. 결국 소왕은 국정을 농단한 태후를 폐하고, 권력의 정점에서 부귀영화를 누렸던 양후를 함곡관 밖으로 내쫓았다. 또 범저를 재상에 임명했다.

애증이 분명한 범저

범저는 재상의 지위에 오르자 복수에 착수한다. 먼저 자기를 모함한 수가에게 복수한다. 세상에 억울한 사람이 다수인지 많은 사람이 이 대목을 좋아한다. 나도 좋다. 단순히 통쾌한 복수만 담겨 있지 않고 때로는 작은 온정이 큰 힘을 발휘할 수 있다는 지혜와 교훈이 있어서 더 좋다. 범저와 수가의 은원恩怨을 다룬 〈증제포贈綈袍〉(두꺼운 비단 도포를 선물함)라는 제목의 경극이 있을 정도다.

원수가 제 발로 찾아오듯이 마침 수가가 진나라에 위나라의 사신으로 방문했다. 범저는 일부러 허름한 차림을 하고 찾아간다. 수가는 범저가 진나라의 재상이 되었다는 사실을 모르고 그저 살아 있다는 사실에 놀란다. 하지만 범저의 초라한 행색을 보고 측은해한 나머지 두꺼운 '고급 패딩'을 건네준다. 이 작은 행동이 나중에 수가의 목숨을 구한다. 범저가 각 제후국에서 온 사신을 귀하게 대접하는 연회를 연 다음 그 자리에서 수가에게만 콩 섞은 여물을 먹게 하는 모욕을 주는 것으로 복수를 그쳤기 때문이다. 대신 위나라 재상 위제의 목을 내놓지 않으면 수도인 대량을 도륙하겠다는 위협의 말을 위왕에게 전하도록 한다. 결국 위제는 조나라로 도망갔다가 궁지에 몰려 나중에 자살한다.

　범저가 복수만 한 것은 아니다. 진나라에 올 수 있도록 도와준 왕계와 정안평을 소왕에게 추천하여 각각 하동태수河東太守와 장군에 임명될 수 있도록 한다. 또한 자기 집 재물을 풀어 옛날에 곤궁할 때 은혜를 입은 자들에게 일일이 보답했다. 은혜에는 은덕으로 보답한 것이다.

물러날 때를 알다

범저는 원교근공 정책의 일환으로 먼저 한나라를 치고 나서 조나라를 공격했다. 진나라가 조나라와 장평에서 붙은 전투는 전국시대의 역사적 전환점이 될 정도로 아주 중요하고 참혹한 싸움이었다. 진나라는 이 전쟁에서 완승한다. 이 전투 이후 진나라가 천하를 통일하는 것은 단지 시간 문제였다. 장평 전투에서 조나라 군대를 섬멸하고 사로잡은 병사 45만 명을 생매장한 것은 백기白起였지만, 막후에서 범저가 조나라 내부에 이간책을 펼쳐 명장 염파廉頗를 "책으로만 병법을 익힌〔紙上談兵〕"조괄趙括

로 교체하도록 만들어 조나라 군사력에 타격을 입혔다. 범저가 말재주만이 아니라 군사적 역량도 겸비했음을 알수 있는 대목이다.

장평에서 큰 공을 세운 백기의 위상이 올라가자 범저는 양후와 사이가 좋았던 백기를 모함하여 결국 죽게 만든다. 대신 자기 사람인 정안평을 추천한다. 하지만 정안평이 나중에 조나라에 항복하는 바람에 범저는 궁지에 몰린다. 당시 진나라의 법에는 사람을 추천하는 경우 추천받은 사람이 죄를 지으면 추천한 사람도 같이 처벌을 받게 되어 있었다. 그에 따라 범저는 삼족을 멸하는 처벌을 받아야 했다. 소왕은 죄를 묻지 않고 범저를 신임했지만 범저는 좌불안석이었다.

이 소문을 듣고 연나라 사람 채택蔡澤이 진나라로 넘어온다. 범저의 불안한 속마음을 간파했기 때문이다. 열전에서는 이 부분을 매개로 범저 편과 채택 편이 이어지는데 두 사람의 전기를 자연스럽게 연결시키고 있어 유명하다. 범저가 실권이 없어서 울적한 소왕의 마음을 읽고 일거에 진나라의 중앙 정치에 등장했듯이 채택도 부끄럽고 불안한 범저의 마음을 눈치채고 그에게 용퇴를 권유한다. 이 부분을 보면 삼황오제는 물론 하은주 삼대의 역사와 제자백가의 학설에 통달했으며 '말발'이라면 누구에게도 밀리지 않는다고 자부하는 범저가 일개 무명의 채택에게 설복당하는 과정이 흥미진진하다. 기회가 되면 꼭 읽기를 권한다. 특히 별다른 능력도 없으면서 왕도 아닌데 자리를 오래 차지하고 있는 사람이 읽으면 참 좋다. 주옥같은 말이 줄줄이 나온다.

"몸과 이름이 모두 온전한 것이 가장 훌륭하며, 이름은 남의 모범이 될 만하지만 몸을 보존하지 못한 것은 그다음이며, 이름이 욕되었는데도 몸만은 온전한 것이 가장 아래입니다." "해가 중천에 오르면 서쪽으로 기울고, 달도 차면 기웁니다." "물을 거울로 삼는 자는 자기 얼굴을 볼 수 있고, 사람을 거울로 삼는 자는 자기의 길흉을 알 수 있습니다."

범저가 진소왕의 마음을 한순간에 사로잡았듯이 채택도 범저의 마음을 일거에 무너뜨린다. 마침내 설복당한 범저는 이렇게 말한다. "욕심이 그칠 줄 모르면 하고자 하는 바를 잃고, 가지고 있으면서 만족할 줄을 모르면 가지고 있던 것마저 잃는다." 범저는 채택을 추천하고 자신은 물러난다.

당시 최고의 강대국 진나라 재상을 찾아와 물러나기

를 권한 사람이나 그 말을 듣고 전격적으로 물러난 사람이나 모두 범접할 수 없는 부류의 인물들이다. 하지만 그런 빼어난 인물들도 아무런 흔적을 남기지 못하고 사라질 수 있었다. 사마천의 말대로 "이 두 사람에게 어려운 때가 없었다면, 어찌 떨치고 일어날 수 있었겠는가?" 곤욕을 참고 오랫동안 발분해서 공부했기 때문에 '내공'이 일순간에 빛을 발했으리라. 변방에 치우쳐 있었고 제자백가 사상가를 한 명도 배출하지 못했지만 진나라가 천하를 통일할 수 있었던 것도 출신 성분을 묻지도 따지지도 않고 인재를 과감히 등용했기 때문일 것이다.

덧붙이는 말: 범저를 범수로, 수가를 수고를 표기한 책이 눈에 띄는데 범저와 수가가 맞다.

사마천의 논평

태사공은 이렇게 말한다. "한비자가 '소매가 길어야 춤을
잘 추고, 돈이 많아야 장사를 잘 할 수 있다.'라고 했는데
참으로 옳은 말이다. 범저와 채택은 세상에서 말하는 한
시대의 유세가였다. 그러나 각국의 제후에게 유세하여
머리가 하얗게 될 때까지 알아주는 군주를 만나지 못한
것은, 그들의 계책이 졸렬했기 때문이 아니라 유세한 나
라들의 힘이 약하고 작았기 때문이다. 이 두 사람이 오랜
나그네 생활 끝에 진나라로 들어가자, 잇달아 경상卿相이
되고 공을 천하에 떨치게 된 것은 참으로 진나라는 강하
고 다른 여러 나라는 약한 차이 때문이다. 그러나 선비는
역시 우연히 때를 만나는 경우가 있다. 이 두 사람 못지
않은 재능을 가지고도 뜻을 이루지 못한 사람을 어찌 이
루 다 말할 수 있겠는가? 그러나 이 사람에게 어려운 때
가 없었다면 어찌 떨치고 일어날 수 있었겠는가?"

『천자문』에 "기전파목起翦頗牧 용군최정用軍最精"이라는 구
절이 나온다. "천지현황 우주홍황"도 잘 모르겠는데……
안물안궁? 아무튼 '기전파목의 용병술이 가장 빼어났다'
는 뜻이다. 여기서 '기전파목'은 백기, 왕전王翦, 염파, 이
목李牧을 말한다. 이들은 시대의 형용사가 '전국戰國'이었
던 시대에 많고 많은 장수 중 4대 명장으로 일컬어지는
장수들이다. 사마천은 「백기왕전열전白起王翦列傳」과 「염
파인상여열전廉頗藺相如列傳」에서 이들의 삶을 다뤘다. 백
기와 왕전이야 최종 승리자인 진나라가 천하통일을 하는
데 혁혁한 공을 세운 사람이니 말할 필요가 없지만 염파
와 이목이 4대 명장에 들어간 이유는 무엇일까?

환관의 식객 출신인 인상여

조나라는 전국시대의 '러시아'로, 비록 진나라에 패망했지만 전국시대 중후기에 진나라와 일전을 불사할 수 있을 정도로 천하에서 제일간다는 정예 기병을 소유한 나라였다. 또 전국시대를 통틀어 가장 빼어난 왕 중 한 명으로 꼽히는 무령왕武靈王이 호복기사(胡服騎射: 흉노와 같은 오랑캐의 옷을 입고 말을 타고 활을 쏨)와 같은 실용적이고 과감한 개혁을 성공시켜, 조나라 군사력을 증강시켰다. 더구나 조나라엔 염파와 조사趙奢, 이목과 같은 쟁쟁한 장수들이 있었다.

그런데 조나라의 장수들은 진나라의 이간책으로 정작 중요한 전투에 나가서 싸워보지도 못하고 자리에서 밀려났다. 결국 염파는 타국 위나라에 망명해 쓸쓸하게 죽었고, 이목은 조나라 왕에게 죽임을 당했다. 만약 효성왕孝成王이 장평의 전투에서 진나라의 반간계反間計에 속지 않아 명장 염파를 병법의 이론에만 밝았던 조괄(조사의 아들)로 교체하지 않았다면? 또 조왕 천(趙王遷: 조나라 마지막 임금)이 진나라에 매수된 곽개郭開의 이간책에 넘어가지 않아 이목을 죽이지 않았다면? 부질없기는 하지만 안타까운 운명을 뒤집어 생각해본다. 요컨대 염파와 이목은 패망한 조나라 사람이어서 그렇지 진나라를 서늘하게 만들었던 불운의 명장이었다. 승자에게 장점과 미덕만 있고, 패자에게 단점과 악덕만 있는 게 아니다.

그런데 조나라의 영웅전(염파, 인상여, 조사, 이목)이라고 할 수 있는 「염파인상여열전」에서 진정한 주인공은 염파가 아니라 인상여다. 그가 처음으로 등장하는 대목을 보자.

> 염파는 조나라의 걸출한 장수이다. 조나라 혜문왕惠文王 16년에 염파는 조나라 대장이 되어 제나라를 쳐서 크게 물리치고 양진陽晉을 탈취했으며, 이 공으로 상경(上卿: 재상에 해당)이 되었다. 그의 용맹함은 제후들에게 널리 알려졌다. 인상여는 조나라 사람으로 환관의 우두머리인 무현繆賢의 문객이었다.

한마디로 인상여는 출신이 미천한 존재라는 것이다. 전쟁에서 큰 공을 세워 재상의 지위에까지 오른 염파와 환관의 가신. 원래도 미천한데 염파와 같은 거물과 함께 거론되니 더욱 초라해 보인다. 하지만 인상여는 "표범의 무늬가 선명해지듯 멋지게 변하여" 나중에 염파와 같은 지위에 오른다. 영어 속담에 "현명한 사람은 마음을 바꿀 수 있지만 어리석은 사람은 그렇지 않다."라는 말이 있지만 그는 현명하게 표변했다. 그의 일생은 크게 세 가지 이야기로 정리할 수 있다. 첫째, 보물 화씨벽和氏璧을 온전히 지킨 일(이 공으로 그는 상대부上大夫가 된다.), 두 번째는 민지澠池라는 곳에서 열린 진나라와의 '정상회담' 때 조나라 왕의 체면을 살린 일(그 공으로 상경에 오른다.), 마지막으로 아집에 사로잡힌 염파를 깨우쳐서 화합한 일이다.

적국의 왕궁에서 화씨벽을 지키다

조나라는 무령왕의 아들 혜문왕 때 천하의 보물로 알려진 초나라의 화씨벽을 얻었다. 진나라 소왕이 이 소식을 듣고 조나라에 화씨벽을 성 열다섯 개와 바꾸자고 제안을 한다. 조나라 입장에서는 거절하자니 진나라가 이를 빌미로 쳐들어올까 두렵고, 받아들이자니 보물만 뺏길 것 같았다. 어떻게 해야 하나? "약소국엔 외교가 없다.〔弱國無外交〕"는 말이 있듯이 약자의 입장은 늘 궁색한 법이다. 이때 환관 무현이 자신의 문객인 인상여를 추천한다.

인상여는 나라의 위기를 기회로 자신의 존재를 드러낸다. 그는 우선 진나라의 제안을 받아야 한다고 해법을 제시한다. 그리고 죽음을 무릅쓰고 화씨벽을 가지고 서쪽으로 가서 진나라 왕에게 바쳤다. 그런데 진나라 왕이 크게 기뻐하면서 좌우에 있는 비빈들과 신하들에게 화씨벽을 돌려가며 보여주는 낌새가 보물만 차지하고 성을 줄 생각이 없어 보였다. 인상여는 진나라 왕의 속내를 간파하고 기지를 발휘한다. 화씨벽에 흠집이 하나 있어 확인시켜 주겠다고 핑계를 대서 돌려받은 후에 항변한다. 강제로 빼앗으려고 한다면 화씨벽을 자기 머리와 함께 기둥에 부딪쳐 박살 내겠다고. 진나라 왕은 억지로 빼앗을 수 없다고 생각해 인상여가 교환 조건으로 요구한 대로 닷새 동안 목욕재계한 후에 받기로 한다. 그 동안 인상여는 영빈관에 묵으며 수행원을 변장시켜 화씨벽을 조나라로 돌려보냈다. 이 일화를 보면 인상여가 얼마나 지혜롭고 용기가 있었는지 알 수 있다.

옆길로 새는 이야기이지만, 화씨벽이 과연 어떤 보물이었기에 진나라에서 성 열다섯 개와 바꾸자고 했을까? 그것은 "리츠칼튼 호텔만 한 다이아몬드"는 아니었지만 굉장한 보물이었다. 거기엔 사연이 있다. 『한비자韓非子』「화씨和氏」편에 가슴 아픈 이야기가 나온다. 초나라 사람 중에 화씨라는 이가 있었는데 형산荊山이라는 곳에서 박옥璞玉을 발견하고는 그걸 당시 임금이었던 여왕厲王에게 바쳤다. 여왕이 전문가에게 감정시켰더니 그냥 돌이라고 판정받았다. 화가 난 여왕은 화씨의 왼쪽 발꿈치를 잘라버렸다. 여왕이 죽고 그 아들인 무왕武王이 즉위하자 화씨는 다시 왕에게 박옥을 바쳤다. 무왕 역시 감정을 받아보았더니 결과가 같았고 무왕은 화씨의 오른쪽 뒤꿈치를 잘라버렸다. 무왕이 죽고 문왕文王이 등극하자 화씨는 형산에서 옥덩이를 안고 삼일 밤낮 피를 토할 정도로 통곡을 했다. 왕이 소식을 듣고 사자를 보내 까닭을 물었더니 화씨가 답했다. "제가 우는 것은 저것이 보옥寶玉인데도 돌이라 하고, 진실한 사람을 사기꾼으로 치부해 슬퍼서 우는 것입니다." 왕이 그 박옥을 가지고 와서 다듬으니 천하의 보옥이었다. 그래서 이것을 '화씨벽'이라고 명명하였다고 한다.

한비자가 이 이야기를 한 이유는 당시 법술法術에 의한 정치가 군주에게 받아들여지지 않고 있음을 풍자하기 위해서였다. 아무튼 이 화씨벽이 나중에 천하를 통일한 진시황의 수중에 들어갔고 옥새로 만들어졌다고 한다. 그 후 당나라 때까지 전해졌다고 하는데 이후에는 종적을 알 수 없다.

흠집을 확인시켜 주겠다고 되돌려 받은 옥을 몰래 조나라로 빼돌린 인상여를 강국 진나라에서 죽이지 않은 이유도 궁금하다. 당시 국제정세를 보면 진나라와 제나라, 그리고 초나라가 강국이었는데 진나라는 조나라와 동맹을 맺고 제나라를 치려고 하였다. 진나라는 과연 조나라가 동맹을 지키면서 제나라를 공격할지 아닐지를 살펴보기 위해 옥에 빗대 조나라의 의중을 떠본 것이었다. 또한 인상여를 죽여 조나라와의 친선관계를 깨기보다 유지하는 편이 낫다고 보았다.

사적인 원한을 뒤로하는 도량

몇 년 후 진나라 왕이 조나라를 공격하고 나서 조나라 왕에게 민지라는 곳에서 '평화회담'을 하자고 요청한다. 진나라는 초나라 공격에 집중하기 위해 조나라와의 관계를 안정시킬 필요가 있었다. 조나라 입장에서는 뺨 때리고 어르는 격이었다. 문제는 갔다가 잘못하면 죽을 위험이 있고, 가지 않으면 나약하고 비겁하다는 신호를 보낼 수 있다는 점이었다. 위험하기는 하지만 가서 평화회담을 하는 게 조나라에게 이점도 있었다. 마찬가지로 진나라와 화친관계를 맺으면 제나라를 공격할 수 있는 여지가 생길 수 있기 때문이다.

인상여는 왕에게 평화회담 참여를 권하면서 동행한다. 염파는 국경까지 배웅하면서 왕에게 "30일 안에 돌아오시지 않으면 태자를 옹립하겠습니다."라고 말하며 후사를 대비한다. 얼마나 위험한 행차였는지 알 수 있다. 또한 염파의 충정과 왕의 신뢰가 돈독했기에 가능한 이야기였다. 듣기에 따라서는 모반으로 오해될 소지가 있었기 때문이다.

결국 두 정상이 만났는데, 진나라는 조나라 왕으로 하여금 악기를 연주하도록 하여 교묘하게 신하 취급을 하려고 한다. "과인은 조나라 왕께서 음악을 즐긴다고 들었소. 비파 연주를 들을 수 있겠소?" 조나라 왕이 어쩔 수 없이 비파를 타고 진나라 사관이 이 일을 기록하자 인상여가 나섰다. "조나라 왕께서는 진나라 왕께서 진나라 음악에 능하다고 들었습니다. 질장구를 드릴 터이니 진나라 왕께서 장단을 쳐 서로 즐길 수 있도록 해주십시오."
진나라 왕이 노해 응하지 않자 인상여는 진왕에게 가까
이 다가가 겁박한다. "왕과 저 사이의 거리는 다섯 걸음
도 안 됩니다. 제 목의 피로 왕을 적셔서라도 질장구를
치게 할 것입니다." 진나라 왕은 결국 질장구를 한 번 쳤
고 인상여는 조나라 사관에게 기록하게 함으로써 조나라
의 체면을 살렸다. 약소국엔 외교가 없다고 하지만 인상
여가 죽음을 무릅쓰고 기지를 발휘한 덕분에 조나라 왕
은 무사히 돌아올 수 있었다.

　　민지 정상회담에서 인상여는 왕의 체면을 지킨 공을
세워 급기야 재상에 해당하는 상경의 지위에 오른다. 염
파보다 높은 지위에 오른 것이다. 전쟁을 하고 풍찬노숙
을 하며 나라를 지켰던 염파의 입장에서는 은근히 화가
나지 않을 수 없는 일이었다. 백전노장 염파에게는 인상
여가 비천한 출신으로 세 치 혀로 벼락출세한 자에 불과
해 도저히 인정할 수 없었다. 염파는 인상여에게 모욕을
주리라 공언하고 다녔고, 인상여는 염파를 피해 다녔다.
인상여를 따르는 빈객이 참다못해 물었다. 너무 겁쟁이
가 아니냐고. 인상여의 대답이 명언이다.

저 강한 진나라가 감히 조나라를 치지 못하는 것은 나와 염파 두 사람이 존재하기 때문이다. 지금 두 호랑이가 서로 싸운다면 둘 다 무사할 수는 없다. (둘 중 하나는 죽는다.) 내가 이렇게 행동하는 것은 국가의 위급함을 먼저 하고 사적인 원한은 뒤로하기 때문이다.

전당강錢塘江의 조수潮水 소리를 듣고 한순간에 도를 깨친 『수호지』의 노지심魯智深처럼(119회), 염파도 홀연히 깨닫는다. 인정투쟁을 벌인 자신의 자의식이 얼마나 수준 낮은가를……. 염파는 즉시 윗도리를 벗고 회초리를 걸머지고 가서 인상여에게 사죄한다. 그 후 두 사람은 "생사를 같이하기〔刎頸之交〕"로 약속한다. 사적 원한보다 국가의 안위를 생각하는 인상여의 도량도 대단하지만 잘못을 인정할 줄 아는 염파도 참으로 멋지다. "잘못을 저지르고도 고치지 않는 것 그게 잘못〔過而不改 是謂過矣〕"이라는 공자의 말처럼 누구나 잘못은 할 수 있지만 잘못을 알고도 고치기는 쉽지 않다.

「염파인상여열전」에서 사마천은 조나라의 영웅 네 사람(염파, 인상여, 조사, 이목)의 삶을 기술하였지만 논평에서는 인상여만 다뤘다. 사마천이 인상여를 얼마나 높이 평가했는지 알 수 있다. 사마천의 평가는 간단하다. 그가 지혜와 용기를 겸비한 자라는 것. 지혜롭고 똑똑한 것이 '영英', 용기가 있는 것이 '웅雄'이다. 문제는 영하면 웅하기 어렵고, 웅하면 영하기 어렵다. 인상여는 그걸 겸비한 '영웅'이었다.

사마천의 논평

태사공은 말한다. "죽음을 알면 반드시 용맹스럽다. 죽는 것이 어려운 것이 아니라 죽음에 대처하기가 어려운 것이다. 바야흐로 인상여가 화씨벽을 끌어안고 기둥을 노려보고 진나라 왕 주위에 있던 신하들을 꾸짖을 때 그 형세는 기껏해야 죽음〔勢不過誅〕뿐이었다. 그러나 선비 중 어떤 자는 겁을 집어먹고 감히 그렇게 하지 못한다. (그러나) 상여가 한 번 분기탱천하자 위세가 적국에까지 떨쳤고, 물러나 고국에 돌아와서는 염파에게 겸손하게 양보하니 그 이름이 태산보다 무거워졌다. 인상여는 지혜와 용기 두 가지를 모두 갖춘 인물이라고 말할 수 있다."

8 독서인에서 우주의 중심을 찌른 자객으로: 형가

몇 년 전 지금은 사라진 영화관에서 고별 행사로 허우샤오시엔侯孝賢 감독의 〈자객 섭은낭〉이라는 영화를 상영한 적이 있다. 평소 좋아하는 감독이고 좋아하는 배우가 주인공을 맡은 영화인 데다가 무엇보다 자객(그것도 여성)을 다룬 이야기이기에 만사 제치고 가서 보았다. 다시는 그 영화관에서 영화를 볼 수 없다는 사실도 나의 발걸음을 재촉했다. 섭은낭은 원래 당나라 전기의 한 소설집에 나온 가상의 인물로 영화로 제작한다는 소식이 전해지면서부터 많은 화제를 뿌렸다. 중국 사이트를 통해 이런 저런 소식을 접했던 터라 미리부터 심취해서 본 기억이 난다.

내가 자객에게 처음 관심을 갖게 된 계기는 형가荊軻였다. 지금도 자객 하면 가장 먼저 떠오르는 인물이 형가다. 진왕(천하를 통일하기 이전의 진시황)을 찌른 바로 그 형가 말이다. 그의 이야기는 스물일곱 번째 열전인 「자객열전」에 실려 있는데 전국시대의 마지막을 장식하는 열전이다. 그다음 편은 「이사열전李斯列傳」으로 진대秦代 인물전이 시작된다. 「자객열전」의 전체 분량은 대략 노자 『도덕경』과 같이 5000여 글자에 달한다. 사마천은 이 열전에서 형가만이 아니라 네 명의 자객, 즉 조말曹沫, 전저專諸, 예양豫讓, 섭정聶政을 함께 다뤘는데, 형가에게 3000여 자를 할애한다. 결국 형가가 「자객열전」의 주인공인 셈이다.

협객을 동경하는 마음

내가 『사기열전』에서 가장 먼저 한문으로 읽은 부분이 바로 「자객열전」의 형가를 다룬 글이다. 꽤 오래전 일이다. 군 제대 후에 복학하기까지 시간이 좀 있어 한문을 배우고 싶었다. 마침 모 연구원에서 개설한 한문 강좌가 있기에 바로 신청했다. 한학자이신 이가원李家源 선생님의 강의였는데 지금도 한문을 배우려는 사람이 많지 않지만 당시에도 별로 없어서 수강생이 두 명밖에 되지 않았다. 지금 같으면 당연히 폐강되었을 터인데 선생님은 학생도 많지 않으니 수업을 댁에서 하자고 하셨다. 감히 청할 수는 없지만 진정 바라는 바였다. 그나마 다른 한 명의 수강생은 잘 나오지 않아서 선생님 댁에서 혼자 배웠으니 어찌 잊을 수 있겠는가?

교재는 선생님이 직접 편찬한 『대학한문신선大學漢文新選』이었다. 이 글을 쓰면서 확인해보니 소동파蘇東坡의 「적벽부赤壁賦」 같은 명문도 많이 읽었건만 '형가'를 배운 기억만이 오롯하다. 우리말을 읽듯이 쭉쭉 읽어가는 선생님의 한문 해석을 따라잡느라 진땀을 흘렸던 기억이 새롭다. 술을 좋아하는 형가와 축(筑: 비파와 비슷한 현악기)을 잘 타는 고점리高漸離가 저잣거리에서 술에 취해 노래를 부르다가 어느 때는 울기도 하면서 마치 주변에 아무도 없는 것처럼 방약무인하게 놀던 대목, 형가가 번오기樊於期를 찾아가 목을 내달라고 하자 번오기가 그 자리에서 흔쾌히 자결하는 처연한 대목, 형가가 진왕을 비수로 찌르던 박진감 넘치는 장면 등등을 마치 현장에 있는 것처럼 몰입해서 읽었다. 원래 천고의 문인들이 협객의 꿈을 꾸어서인지, 「자객열전」을 읽어서인지 모르겠지만 자객이라는 말을 들으면 왠지 가슴이 뛴다.

독서, 검술, 그리고 술을 좋아한 노마드

형가는 위衛나라 사람인데, 위나라는 춘추시대에 공자가 천하를 주유할 때 가장 오래 머물렀던 나라다. 하지만 전국시대 말기엔 위魏나라의 속국으로 전락해 있었다. 형가는 독서와 검술, 그리고 술을 좋아했다. 모국에서 등용되지 못하자 조나라, 연나라를 떠돌면서 '노마드'적 삶을 살았다. 하지만 제후국의 '맛집'을 찾아다니며 유람한 것이 아니라, 곳곳의 호걸이나 현자들과 사귀었다. 연나라로 갔을 때는 개 잡는 백정이나 축이라는 악기를 잘 타는 고점리와 친하게 지냈다. 저잣거리에서 함께 술을 마시고 돌아다녔다. 하지만 전광田光이라는 눈 밝은 처사가 형가가 남다른 인물임을 알아보고 잘 대해주었다.

당시 연나라 왕은 무능한 인물로 "조나라의 장정들은 장평 싸움에서 다 죽고, 그들의 아이들은 아직 장성하지 않았다."라고 한 율복栗服의 야비한 계책을 따라 조나라를 공격했는데, 도리어 패하고 말았다. 성 다섯 개를 바치고 겨우 화친을 맺었다. 국력이 거의 소진한 조나라에조차 패했으니 연나라의 힘이 어떠했는지 알 수 있다. 더구나 조나라 뒤에는 "호랑이와 이리 같은 나라〔虎狼之國〕"

진나라가 있었다. 이제 연나라는 "주린 호랑이(진나라)가 다니는 길목에 놓인" '고기' 같고, "숯불 위에 놓인 기러기 털"과 같은 신세가 되었다. 연나라 왕은 진나라와 화친을 맺기 위해 태자 단丹을 볼모로 보냈다. 태자 단과 진왕은 이전에 조나라에 볼모로 같이 잡혀 있던 '인질 동기'였다. 하지만 지금의 진왕은 예전의 그 '동기'가 아니었다. 한 사람은 천하통일을 목전에 둔 강대국의 제왕이고, 다른 한 사람은 바람 앞에 놓인 등불 같은 나라에서 볼모로 보낸 태자였다. 진왕은 그를 제대로 대우하지 않았고 태자 단은 진나라를 몰래 탈출해 연나라로 다시 돌아온다.

약소국이 강대국에 맞서려면

태자 단은 복수를 다짐한다. 연나라 왕조차도 강대국 진나라에 눌려 위축되어 있는데, 태자가 할 수 있는 일이 무엇이 있었을까? 자객을 보내는 방법밖에 없었다. 그는 태부太傅 국무鞠武가 추천한 전광을 찾아간다. 전광은 한때 '천리마'였지만 지금은 이미 '노둔한 말'로 변해버린 신세. 눈만은 예리해서 평소 잘 봐두었던 형가를 추천한다. 그리고 형가에게 찾아가 이 일을 알리고 자결한다. 굳이 죽을 필요가 있었을까? 현대인의 눈으로 보면 이해가 가지 않는다. 같이 싸우면 더 좋지 않았을까? 비밀이 새어 나가지 않도록 해달라는 태자의 말을 과하게 따른 것이 아닐까? 그런 점도 있을 것이다. 하지만 무엇보다 형가로 하여금 거사에 뛰어들지 않을 수 없도록 압박하고 격려하려는 목적이 컸을 것이다.

형가는 제 발로 태자를 찾아간다. 아니 전광을 생각하면 찾아가지 않을 수 없었다. 이는 평소에 나를 알아준 사람에 대한 보답일 뿐만이 아니라 제 2의 고향 연나라의 안위가 달린 문제였다.

만나 보니 태자 단은 다 '계획'이 있었다! 플랜 A: 진왕의 생포, 플랜 B: 그를 찔러 죽임. 형가는 처음엔 고사했다. 이게 쉽게 승낙할 문제인가? 또한 승낙한다고 쉽게 성공할 수 있는 일도 아니다. 하지만 결국 승낙한다. 이제 문제는 진왕을 만나는 방법이다. 형가는 오랜 고민 끝에 진왕에게 줄 두 가지 '선물'을 떠올린다. 연나라의 지도와 번오기樊於期 장군의 목. 연나라의 지도야 태자 단에게서 금방 구할 수 있지만 진나라에서 도망쳐 연나라로 망명한 번오기 장군의 목은? 마음 약한 태자 단이 해

줄 수 없다는 것을 알고 형가가 번오기 장군을 직접 찾아간다. 그가 진왕을 죽일 자신의 계획을 밝히며 번오기에게 단도직입적으로 말한다.

장군의 머리를 얻어 진나라 왕에게 바치면, 진나라 왕은 틀림없이 기뻐하며 나를 만나자고 할 것입니다. 그때 나는 왼손으로 그의 옷소매를 잡고 오른손으로 그의 가슴을 찌를 것입니다. 그러면 장군의 원수도 갚고 연나라가 입은 수치도 씻을 수 있게 됩니다. 장군의 생각은 어떻습니까?

번오기는 감사해하며 그 자리에서 자결한다. 살아 있는 목숨을 요구하는 사람이나 목숨을 흔쾌히 내주는 사람이나 모두 뜨겁고 매운 사람들이다.

진왕 암살에 실패하다

우여곡절 끝에 역수易水의 강가에서 송별회가 열렸고, 형가는 비장한 노래를 부르고 뒤도 돌아보지 않고 떠났다.

바람소리는 소슬하고 역수는 차갑구나!

장사가 한번 떠나면 다시는 돌아오지 못하리······.

　　마침내 형가는 진왕을 대면하게 된다. 형가가 앞에서 번오기의 수급首級이 담긴 상자를 들고, 뒤에서는 조수 진무양秦舞陽이 연나라 지도를 든 상자를 들고 진왕에게 나아간다. 일찍이 열세 살에 사람을 죽였고 장사로 유명했던 진무양이 계단 앞에서 벌벌 떠는 불상사가 있었지만, 형가는 "지도가 펼쳐지자 드러난 비수〔圖窮匕見〕"를 잡고 결국 진왕을 찌른다. 하지만 칼은 진왕을 비껴 나갔다.

　　왜 실패했을까? 검술에만 매진하지 않고 독서와 검술을 병행해서? 태자 단이 재촉해서 형가가 기다리던 친구와 함께 가지 못해서? 형가의 실패를 안타까워하며 이런저런 원인을 거론하기도 한다. 또는 형가를 신랄하게 비판하기도 한다. "형가는 필부의 용기이니 그 일은 족히 말할 거리가 되지 않는다." 주희朱熹의 박절한 평가다. 『요재지이聊齋志異』의 저자 포송령蒲松齡은 「섭정聶政」이라는 작품에서 이렇게 평했다. "진시황을 살해할 능력도 없는 주제에 너무 성급하게 나서 멸망을 자초한 감이 없지 않다. 진시황을 죽인다는 구실로 번오기의 머리를 함부로 베었는데 언제라야 그 원한을 설욕할 수 있단 말인가? 결국 천추의 한을 남겼으니 섭정의 비웃음을 받더라도 할 말이 없을 것이다." 포송령은 다섯 자객 중에 섭정을 최고로 친다. 섭정은 자기를 알아준 엄중자嚴仲子를 위해 한나라의 재상 협루俠累를 죽이는 데 성공한 자다. 노벨문학상을 수상한 모옌莫言의 해석이 이채롭다. 형가가 거사에 성공했다면 진시황이 주인공이 되었고, 실패했기 때문에 형가가 주인공이 되었다는 것이다.

형가 못지않게 비장한 대목이 고점리가 납덩어리를 넣은 축으로 진시황을 죽이려다 실패한 장면이다. 진시황은 축을 기막히게 연주하는 고점리가 형가의 친구임을 알았지만 그의 눈을 멀게 하고 죽이지는 않았다. 고점리의 연주 실력이 얼마나 빼어났으면 진시황이 가까이하기에 이르렀을까? 기회를 잡은 고점리는 연주하던 악기로 진시황을 내려쳤지만 제대로 맞지 않았다. 그도 "저잣거리에서 술에 취해 함께 노래를 부르다가 어느 때는 울기도 하면서 마치 주변에 아무도 없는 것처럼 방약무인하게 놀던" 친구 형가를 뒤이어 죽임을 당하고 만다.

사마천은 성패를 가지고 영웅을 논하지 않는다. "조말부터 형가에 이르기까지 다섯 사람은 어떤 이는 성공하기도 하고 혹 어떤 이는 성공하지 못하기도 하였다. 그러나 그들의 뜻은 모두 분명하였고, 자신들의 뜻을 바꾸지도 않았다." 형가는 실패했다. 하지만 형가가 진시황을 죽이고자 한 것은 자신을 알아준 사람에게 사적 보은을 하기 위해서가 아니다. 애초에 연나라 태자가 이 위험한 임무를 제안했을 때 수락한 것은 그가 연나라 태자의 생각에 동의해서이지 무슨 은혜를 입었기 때문이 아니다. 또한 다른 자객과 죽일 대상의 급이 다르다. 천하 통일을 목전에 둔 최강의 진왕을 죽이는 일이다. 따라서 성공 확률도 극히 낮다. 당시 진나라와 연나라는 태산과 계란에 비유할 정도였기 때문에 연나라가 자객을 보내 진왕을 죽이려고 한 계책은 선택의 여지가 없는 방책이었다고 할 수 있다. 어차피 망할 바에야 가만히 앉아서 죽는 것보다 실패하더라도 찔러보자는 의지가 소중했다고 할 수 있다.

「자객열전」을 끝으로 역사 속 전국시대는 막을 내렸지만, 지금의 현실에서는 또 다른 전국시대가 진행 중이다. 언제 대동의 세계가 도래할 것인가?

사마천의 논평

태사공은 말한다. "당시 형가에 대해 말할 때 태자 단의 운명은 '하늘에서 곡식이 내리고 말머리에서 뿔이 돋아났다'라고들 말을 하는데 이는 과장된 것이다. 또 형가가 진나라 왕에게 상처를 입혔다고 하는 것도 잘못된 말이다. 본래 공손계공公孫季功과 동중서董仲舒가 하무저夏無且(侍醫)와 교분을 맺었으므로 이 일을 자세히 알고 있었다. 이 두 사람이 나에게 이와 같이(「자객열전」에 기록한 것과 같이) 말해주었다. 조말부터 형가에 이르기까지 다섯 사람은 어떤 이는 성공하기도 하고 혹 어떤 이는 성공하지 못하기도 하였다. 그러나 그들의 뜻은 모두 분명하였고, 자신들의 뜻을 바꾸지도 않았다. 그들의 이름이 후세에 전해지는 것이 어찌 망령된 일이겠는가?"

9 '생쥐 철학'으로 제국의 기틀을 마련한 승상: 이사

하지만 생쥐야. 앞날을 예측해봐야 소용없는 건

너만이 아니란다.

생쥐와 인간이 아무리 계획을 잘 짜도

일이 제멋대로 어그러져.

고대했던 기쁨은 고사하고

슬픔과 고통만 맛보는 일이 허다하잖니!

  스코틀랜드 농민 시인 로버트 번스Robert Burns의 「생쥐에게To a Mouse」(1785)라는 시의 일부분이다. 쥐의 해인 경자년에 코로나19 바이러스가 크게 유행하면서 모든 일상이 엉클어져 떠올린 시다. 오직 확실한 것은 모든 것이 불확실하다는 사실뿐인 것 같다. 로버트 번스는 어느 날 밭을 갈다가 잘못해서 쥐의 집을 갈아엎고 나서 시를 썼다고 한다. 아무런 까닭 없이 실던 집이 벌안간 부녀져내린 가엾은 쥐와 마찬가지로 우리네 인생도 통제할 수 없는 우연에 좌우되는 것이 아닐까 탄식했던 것이다. 존 스타인벡John Steinbeck은 이 작품에서 영감을 받아「생쥐와 인간Of Mice and Men」이라는 유명한 소설을 썼다고 한다.

생쥐를 보고 얻은 깨달음

생쥐와 인간의 유사성에 주목한 이가 또 있다. 진시황을 도와 천하통일의 위업을 달성한 진나라 승상 이사李斯다. 그는 젊은 시절 지방에서 하급 관리로 일하면서 뒷간 쥐와 창고 쥐의 커다란 차이를 목도했다. 관청 뒷간의 쥐들은 고작 더러운 것을 먹다가도 사람이나 개가 가까이 다가가면 놀라 달아나기 일쑤인데, 창고 쥐들은 쌓아놓은 곡식 낟알을 느긋하게 먹고 큰 공간에 살면서 사람이나 개가 가까이 오건 말건 아랑곳하지 않았다. 그는 탄식하며 읊조렸다.

사람이 현명하다거나 어리석다고 하는 것은 쥐와 마찬가지로 자신이 처해 있는 곳에 달렸을 뿐이로구나!

인간도 어느 환경에 놓이느냐에 따라 달라지는 한 마리 '생쥐' 같다는 사실을 깨닫고, 이사는 '창고 쥐'가 되기 위해 순자荀子에게 가서 제왕지술(帝王之術: 통치술)을 배운다. 그는 학업을 마치고 스승에게 하직인사를 하며, "기회를 잡으면 놓쳐서는 안 된다." 하는 말이 있듯이 지금이야말로 제후에게 유세해서 출세할 시기라고 고하고 서쪽 진나라로 떠난다. 조국 초나라 왕은 섬길 만한 인물이 못되고, (진나라를 제외한) 여섯 나라는 모두 약소국이어서 공을 세울 수 없다고 여겼기 때문이다. 그에게 "가난이란 한낱 남루(헌 누더기)에 지나지 않는" 것이 아니었다. 이사가 생각하기에 가장 큰 치욕은 비천한 것이며, 가장 깊은 슬픔은 빈궁한 것이었다. 오랜 세월 비천한 지위와 곤궁한 처지에 있으면서 세상을 비난하고 이익을 미워하면서 아무 일도 하지 않는 것은 이사에게 선비답지 않은 행동이었다.

진 제국의 기틀을 마련하다

진나라에 도착했을 때 그의 나이 38세였다. 때마침 장양왕莊襄王이 죽고 13세 소년 영정(篹政: 진시황의 이름)이 요행히 즉위한다. 이사는 먼저 여불위呂不韋의 식객으로 들어간다. 인물은 인물인지라 여불위가 알아보고 추천한 덕에 그는 곧 궁중의 시종관侍從官이 된다. 그리고 몽매에도 그리던 진왕(훗날의 진시황)에게 유세할 기회를 잡는다.

진나라에 복종하는 모양새를 보면 제후국들은 마치 진나라의 일개 군현과도 같습니다. 진나라의 강성함과 대왕의 현명함을 합치면 부뚜막의 먼지를 쓸어버리는 것처럼 쉽사리 제후들을 멸망시키고 제업帝業을 이루어 천하를 통일할 수 있습니다. 이는 만세에 한 번 있을까 말까 한 기회입니다.

이사는 곧장 장사(長史: 비서장)에 제수되었다. 그는 다시 진왕에게 계책을 진언했다. 제후국의 명망가 가운데 회유가 가능한 인사에게는 후한 선물을 주어 포섭해 군신 사이를 이간시키고, 회유가 통하지 않는 인사는 날카로운 칼로 찔러 죽이자는 것이었다. 진시황은 이사의 책략을 따랐고, 이어서 뛰어난 장수를 보내 정벌하였다. 이사는 객경(客卿: 특별고문)이 되었다. 그리고 이어서 정위(廷尉: 최고 사법장관)의 지위에 올랐다.

이로부터 20여 년이 흘러, 진나라가 천하를 통일하여 진왕은 진시황이 되었으며, 이사는 마침내 승상이 되었다. 중간에 정국鄭國이라는 한나라 간첩이 발각되는 바람에 진나라 출신이 아닌 벼슬아치들을 모두 추방하라는 축객령逐客令이 떨어져 초나라 출신인 이사도 쫓겨날 뻔했다. 하지만 이사는 축객령을 거두어 달라는 글(「간축객서諫逐客書」)을 진왕에게 올려 위기를 돌파한다. "태산은 한 덩어리의 흙도 마다하지 않기 때문에 높을 수 있고, 하해河海는 작은 시냇물도 가리지 않기 때문에 깊을 수 있으며, 제왕은 뭇 서민도 버리지 않기 때문에 자신의 덕을 빛낼 수 있는 것입니다." 이사는 10년에 달하는 통일전쟁은 물론이고, 천하를 통일한 이후 황제제도와 삼공구경제三公九卿制라는 관료제, 그리고 군현제를 제정하며 문자와 도량형을 통일하고 분서갱유를 통해 사상을 통일하는 등 진 제국의 기틀을 마련하는 일에 자신의 역량을 다 바쳤다.

그의 딸들은 공자들과, 아들들은 공주와 혼인을 맺었고 집안 잔치에 문무백관이 모두 와서 축하하고, 집 앞에 '파킹'한 수레가 1000대가 넘었다. 초나라 상채上蔡의 평민에 지나지 않았던 이사가 어느덧 표변하여 일인지하 만인지상의 지위에 오른 것이다. 부귀영화가 극한에 달한 이사는 이제 내리막길로 들어선다.

고양이에게 쫓기는 생쥐 신세

진시황의 죽음이 하나의 전기가 된다. 진시황은 자신의 지배권을 다지기 위해 평생 다섯 번이나 순행을 다녔는데 사구沙丘란 곳에서 예기치 않게 최후를 맞이한다. 진시황이 제위를 맏아들 부소扶蘇에게 물려주는 조서詔書를 남겼으나, 부소는 몽염蒙恬 장군을 감독하기 위해 멀리 상군上郡에 가 있었고 막내아들만이 곁에 있었다. 진시황의 죽음이 만약 함양咸陽에 있는 여러 왕자(20여 명)에게 알려지면 난이 일어날지도 모를 일이었다. 왜냐하면 황제는 외지에서 죽었고 미리 태자를 확정해놓지 않았기 때문이다.

이사는 발상發喪을 하지 않고 황제의 죽음을 비밀에 부쳤다. 환관 조고趙高가 이 틈을 비집고 들어와 막내아들 호해胡亥와 이사를 설득하여 진시황의 유언을 조작한다.

조고는 권세와 부귀영화를 빌미로 이사를 꼬드겨 자신과 가까운 호해를 황제로 앉혔다. 여기서부터 「이사열전」은 '조고열전'이 되어버린다. 이사의 삶의 주도권이 조고에게 넘어갔기 때문이다. 이사는 분투 노력하여 '황궁의 쥐'가 되었지만 이제 조고라는 '고양이'에게 쫓기는 불쌍한 존재로 전락했다. 진시황이 죽은 이후 전국에서 농민 반란이 일어났고 1년 만에 과거 6국이 다시 세워졌다.

조고가 앉힌 호해는 정말 혼용무도하고 '바보(일본말 욕인 '바카'는 한자로 지록위마指鹿爲馬의 馬鹿이다.)' 같은 황제였다. 자신이 황제가 되겠다는 속셈을 품은 조고는 호해에게 사슴을 말이라고 바치면서 조정 신료들의 반응을 살폈다. 이는 자신의 주장에 토를 달아 이후 걸림돌이 될 수 있는 신료들을 파악하기 위해 조고가 꾸민 일이었다. 호해는 조고가 자기 앞에 사슴을 끌고 와서 말이라고 한 이유를 모른 바보였다. 이사는 이런 황제를 바로잡기는커녕 벼슬과 봉록에 집착한 나머지 황제에 영합하여 백성을 더욱 옥죌 것을 주장하는 「독책(督責: 죄를 감찰하고 징벌을 가함)의 서」를 올린다. 조밀한 논리로 축객령을 거둘 것을 주장한 「간축객서」가 그의 상승기를 대표하는 문장이라면 「독책의 서」는 이사같이 총명한 사람도 얼마나 심하게 망가질 수 있는지를 증명한 글이라 하겠다.

　　대저 현명한 군주는 반드시 온갖 수단을 다하여 신하의 잘못을 꾸짖고 벌하는 술책을 시행하려고 합니다. 죄를 감찰해서 벌을 주면 신하들은 능력을 다하여 자기 군주를 따르지 않을 수 없습니다. 신하와 군주의 직분이 정해지고 위와 아래의 의리가 분명해지면 천하의 모든 사람이 있는 힘을 다해서 맡은 일을 하여 군주를 따르지 않는 자가 없습니다. 그러므로 군주는 홀로 천하를 통제하고 남에게 제어되는 일이 없는 것입니다. 더없는 즐거움을 다 맛볼 수 있는 것이 현명한 군주입니다.

　　무능한 이세 황제二世皇帝는 이사의 제언을 기쁘게 받아들여 사태를 더욱 악화시킨다. 그리하여 길에 다니는 사람의 절반은 형벌을 받은 사람이고 형벌을 받아 죽은 자들이 시장 바닥에 가득했다. 뒤늦게 이사는 조고를 제거하려고 했으나 도리어 조고의 농간에 놀아난 황제의 의심을 받아 시장에서 허리를 베어 죽이는 요참腰斬을 당하고 말았다. 두 번 다시 고향 상채의 동쪽 문밖에서 둘째 아들과 누렁이를 끌고 토끼사냥을 하지 못한 채…….

이사의 공과

이사는 초나라의 일개 평민으로 태어나서 진나라로 건너가 승상의 지위에 올라 진시황이 천하통일의 위업을 달성하고 제국의 기틀을 다지는 데 큰 공을 세웠다. 사마천이 평가한 것처럼 그는 조카인 성왕成王을 도와 주나라 왕조를 안정시켰던 주공周公이나 소공召公과 같은 인물이 될 수도 있었다. 하지만 결정적인 순간에 (벼슬과 봉록이라는) 욕심으로부터 벗어나지 못한 한 마리 '생쥐'였다. 그렇기에 승상의 지위에 올랐으면서도 조고라는 '고양이'에게 쫓기는 신세가 되었다. 그리하여 자신과 일족, 더 나아가서 제국의 멸망을 재촉한 씻을 수 없는 과오를 범했다. 사마천은 「이사열전」의 상당 부분에 조고의 일을 기록함으로써 이사를 비판하는 동시에,「이사열전」에서는 조고의 최후만을 언급하고 출생은 「몽염열전」에서 다룸으로써 조고를 역사적으로 요참해버렸다.

사마천의 논평

태사공은 말한다. "이사는 여염집에서 태어나 제후들에게 유세하다가 진나라로 들어가서 진나라 왕을 섬겼다. 열국들 사이에 틈이 생긴 기회를 타서 시황제를 도와 마침내 진나라의 제업을 이루게 했다. 이사는 삼공三公의 지위에 올랐으므로 높은 자리에 등용되었다고 할 수 있다. 그러나 이사는 육경의 근본 뜻을 잘 알면서도 공명정대하게 정치를 하여 군주의 결점을 메워주기에 힘쓰지 않고, 높은 작위와 봉록을 누리는 지위에 있었으면서 군주에게 아첨하고 좇으며 구차하게 비위를 맞추기만 했다. 조칙詔勅을 엄하게 하고 형벌을 가혹하게 하였으며, 조고의 간사한 의견을 따라 적자(부소)를 폐하고 첩의 자식(호해)을 황제의 자리에 오르게 했다. 제후들이 이미 뒤돌아선 뒤에야 비로소 군주에게 충고하려 했으니 시기가 너무 늦지 않았는가? 세상 사람들은 모두 이사가 충성을 다했는데 오형五刑을 받고 죽었다고 생각하지만 그 근본을 살펴보면 세속의 말과 다르다. 그렇지 않았다면 이사의 공은 주공周公이나 소공召公과 비길 만했을 것이다."

글 잘 쓰는 사람도 많고 시 잘 짓는 사람도 많지만 "문장의 신선〔文仙〕", "시의 신선〔詩仙〕"이라는 칭호를 얻은 사람은 사마천과 이백李白뿐이다. 그렇다면 "용병술의 신선〔兵仙〕"이라는 칭호를 얻은 사람은? 바로 회음후淮陰侯 한신韓信이다. 소하蕭何, 장량張良과 함께 한초삼걸漢初三傑로 뽑히는 명장이다. 얼핏 용병술과 신선이라는 말이 서로 어울리지 않는다는 생각이 들지만 그냥 전쟁의 신이라고 보면 좋다. 전쟁이나 병법에 관심이 있다면, 혹은 정치에 관심이 있다면(왜냐하면 전쟁은 정치라는 전체의 일부분이기에) 한신의 삶은 주목해볼 가치가 있다.

눈칫밥 얻어먹던 시정잡배

한신의 일생은 그야말로 파란만장 그 자체다. 평민으로 출발해 대장군에 올랐고, 전쟁에서 세운 공으로 왕(제나라 왕에 올랐고 한나라 초기 여덟 왕 중 초나라 왕으로 봉해졌다.)의 지위에까지 올랐다가 다시 열후(列侯: 진한시대의 20등급의 작위 중에 가장 높은 작위)로 떨어졌고 급기야 모반의 죄로 삼족이 멸해지는 불행한 최후를 마쳤으니 말이다. 평민이었을 때는 가난했고 특별히 선행을 베푼 일도 없었기에 추천을 받아 말단 관리가 될 수도 없었다. 장사를 하려고 해도 밑천이 있어야 하는데 그것도 없었다. 그러니 마땅한 호구지책이 없어 이곳저곳에서 눈칫밥을 얻어먹는 세월을 보내야 했다. 한때 고향 동네 불량배의 가랑이를 통과하는 굴욕을 겪었던 '흑역사'는 너무도 유명하다. 이 소문은 나중에 전쟁을 할 때 크게 도움이 된다. 왜냐하면 상대로 하여금 한신이 겁쟁이라는 선입견을 가져 방심하게 만들었기 때문이다. 나중에 초나라 장수 용저龍且가 유수濰水의 싸움에서 패한 것은 한신을 과소평가했기 때문이다. 한신과 같은 초나라 출신인 용저는 한신이 겁쟁이라는 소문을 들어 알고 있었다. 한신이 미리 모래주머니를 쌓아 유수 상류를 막아놓고 유수를 절반쯤 건너 용저를 공격하다가 지는 척 도망치자, 용저가 방심하고 한신을 뒤쫓아 유수를 건너다가 자신도 죽고 군대도 거의 몰살당했다.

진나라에 반기를 든 초나라 군대가 고향 마을을 지날 때 항량項梁·항우項羽의 편에 가담하며 풍운의 삶을 시작했지만 그의 계책이 받아들여지지 않자 유방 쪽으로 노선을 변경한다. 유방의 휘하에서 처음엔 곡식 창고를 관리하는 연오連敖라는 낮은 관리가 되었지만 죄에 연루되어 목이 베이는 형벌로 일생을 마감할 뻔했다. 자기가 목이 잘리는 차례가 되었을 때 "주상께서는 천하를 차지하려고 하지 않으십니까? 어찌 장사를 죽이려 하십니까?"라고 하는 태도를 보여 범상치 않은 인재임을 알아본 하후영夏侯嬰 덕분에 목숨을 건졌다. 그뿐만이 아니라 하후영의 추천으로 치속도위(治粟都尉: 식량을 관리하는 군관)가 된다. 그 자리에서 일생일대의 또 다른 은인 소하(蕭何: 유방과 함께 군사를 일으킨 인물)를 만난다. 일개 필부의 수레를 끄는 천리마를 알아본 백락伯樂 같은 소하의 안목 덕분에 한신은 일약 대장군에 오른다.(나중엔 또 그때문에 죽게 된다. "성공한 것도 소하 때문이고, 패한 것도 소하 때문이다.〔成也蕭何 敗也蕭何〕"라는 말이 그래서 생겼다.)

항우와 유방 사이에서

명목상의 왕이었지만 초나라 회왕(懷王: 진나라에 멸망당한 초나라의 왕족으로 민간에서 양치기를 하다가 옹립되었다.)의 정책에 따르면, 진나라 정벌에 나선 유방과 항우 중 먼저 관중關中에 입성한 유방이 관중의 왕이 되어야 했다. 진의 수도 함양에 입성한 유방과 항우는 사람을 보내 팽성彭城에 있던 초회왕楚懷王에게 누가 관중의 왕이 되어야 하는지 하명을 청했다. 회왕의 대답은 "원래 처음 약속대로"였다. 하지만 실권을 잡고 있던 항우가 약속을 어기고 진나라에서 항복한 세 장수를 한, 위, 조 삼진의 왕에 봉하고, 유방은 파巴와 촉蜀, 그리고 한중漢中을 관할하는 한왕漢王에 임명했다. 유방을 견제한 것이다. 유방의 입장에서는 당연히 받아들이기 어려웠지만 세력이 약해 어쩔 수 없이 한중에 들어갔다.

한중에서 대장군 임명식을 마치고 나서 한왕 유방은 한신에게 어떤 계책으로 과인을 가르치겠느냐며 질문을 던진다. 여기에 한신이 답한 것이 유명한 '한중대(漢中對: 한중에서 올린 대책)'이다. 삼고초려한 유비의 물음에 제갈량이 천하 삼분의 계책으로 답한 융중대(隆中對: 제갈량이 유비를 처음 만난 융중에서 올린 대책)와 함께 쌍벽을 이룰 정도로 유명한 군신 간의 문답이다.

당시 항우는 병력이나 명망의 측면에서 유방보다 훨씬 강했다. 그러므로 겉으로 드러난 형세를 놓고 보면 유방이 항우를 이기기는 어려웠다. 이런 전황을 두고 한신은 전쟁의 승부는 군사적 능력뿐만이 아니라 궁극적으로는 인심의 향배에 따라 결정된다는 관점에서 항우의 인간됨과 개성, 그가 취한 조치를 냉철히 분석한다. 항우는 기세는 대단하지만 현명한 장수를 믿고 일을 맡기지 못하고, 마음씨는 좋지만 인색해서 공을 세운 자에게 작위를 잘 주지 못하는 등의 문제가 있었다. 따라서 그와 반대로 하면 항우의 우세를 쉽게 약화시킬 수 있음을 설파한다. 그렇게 해서 먼저 관중을 평정해서 근거지로 삼아 동쪽으로 향하면 천하를 차지할 수 있다고 전략을 설명했다. 한마디로 말해서 항우의 세력이 막강해 보이지만 민심을 잃었기 때문에 머지않아 붕괴되리라는 것. 목하 세계의 정세도 비슷한 것 같다.

한신의 전략은 위축된 유방에게 자신감을 불러일으키는 것이었으니 그가 기뻐한 것은 너무도 당연한 일이었다. 한왕은 한신의 계책에 따라 우선 삼진을 평정한다.

항우를 무너뜨린 전략가

한신은 이렇게 '프리젠테이션'만 그럴듯하게 잘한 것이 아니라 실제 전투에서도 뛰어났다. 크게 네 차례 전투에서 자신의 실력을 드러냈는데, 위나라, 조나라, 제나라 그리고 마지막으로 항우를 멸한 해하垓下의 전투가 그것이다.

먼저 위나라와의 전투다. 전국시대 위나라 왕족의 후예 위표魏豹가 당시 위나라 왕이었는데 그는 지금의 산시성山西城 서남방 포판蒲坂에 방어 진지를 구축하고 임진臨晉으로 통하는 황하의 나루터를 봉쇄하고 있었다. 한신은 자신의 군대가 임진에서 황하를 건너는 시늉만 하게 하고 하양夏陽에서 오크통처럼 생긴 나무통을 타고 황하를 건너가게 해서 위나라를 평정한다. 바로 성동격서(聲東擊西: 동쪽에서 소리를 지르고 서쪽을 침)였다.

두 번째, 조나라를 격파한 정형井陘 전투는 특히 유명하다. 오합지졸의 3만 군사로 배수진을 쳐서 성안군成安君 진여陳餘의 군사 20만을 격파했으니 어찌 유명하지 않을 수 있겠는가. "사지에 빠뜨린 뒤라야 살 수 있고 망할 곳에 배치한 뒤에야 존재할 수 있다."라는 병법을 이용해 군사들 스스로 각자도생하게 만들어 승리했던 것이다.

세 번째, 제나라는 쉽게 격파했으나 제나라가 초나라에 구원을 요청하는 바람에 한신은 유수를 사이에 두고 연합군과 대치했다. 한신은 상류에 모래주머니를 쌓아 물길을 막게 하고 유수를 건너가 초나라 장수 용저의 군대와 접전을 벌이다가 거짓으로 후퇴한다. 용저의 군대가 신이 나서 추격하자 한신은 모래주머니를 터뜨려 강물을 방류해서 상대를 대파하고 마침내 제나라를 평정한다.

마지막으로, 항우의 군대는 해하에서 한나라 군대에 의해 고립무원의 사면초가에 빠진다. 한신이 통솔하던 30만 주력 부대는 마침내 항우를 대파한다. 마지막 전투에서 항우는 혼자 한나라 군대 수백 명을 죽임으로써 남은 28명의 기병들에게 '하늘이 나를 망하게 하는 것이지 싸움을 잘못한 죄가 아니'라는 것을 장렬하게 보여주고

자결한다. 이로써 4년 반을 끈 초한전쟁은 막을 내린다. 2개월 뒤 유방은 황제에 등극한다.

한신은 모반을 꾀했을까?

사마천은 한신의 현란하고 혁혁한 용병술을 서술할 뿐만이 아니라 상당한 분량을 할애해서 무섭武涉과 괴통蒯通이 한신을 설득하는 장면을 서술한다. 자신의 맹장인 용저가 패하자 항우는 무섭을 한신에게 보내 자기 편으로 끌어들이려고 했다. 그러나 한신은 "자기 옷을 벗어 입혀주고, 자기가 먹을 것으로 먹여준" 유방을 배신하지 않았다. 제갈량이 유비에게 그랬듯이 제나라에서 만난 모사 괴통도 한신에게 천하 삼분의 계책을 올리면서 결단을 촉구하기도 했다.

안다는 것은 결단하는 것이고, 의심은 일에 방해가 됩니다. 터럭같이 작은 계획을 자세히 따지고 있으면 천하의 대사를 날려버리게 되고, 그렇게 해야 된다는 것을 알면서도 과감히 행동하지 않는 것은 모든 일의 화근이 됩니다.

이번에도 한신은 망설이면서 한나라를 배신하지 않았다. 그들이 한신을 설득한 논지는 간단하다. 결국 한왕과 초왕의 운명이 한신에게 달려 있다는 것이다. 다만 무섭이 한신에게 초왕의 편에 서라고 권했다면, 괴통은 장기판처럼 초한으로 나뉜 천하를 셋으로 나누고 기회를 보다가 천하를 차지하자는 것이었다. 그들의 말처럼 초한전쟁의 와중에서 한신이 초나라의 편에 섰으면 역사는 달리 쓰였을 것이다. 딴 살림을 차렸다면 '초한지'는 또 하나의 '삼국지'로 변모했을지 모른다.

황제에 등극한 유방에게 "군주를 떨게 할 만한 위세와 상을 받을 수 없을 만큼 큰 공로, 그리고 천하의 드높은 명성"을 가진 한신은 매우 위험한 존재였다. 한신을 초나라 왕에 봉했지만 유방은 그가 모반할까 늘 두려워했다. 결국 유방은 거짓으로 운몽雲夢에 순행을 가서 전격적으로 한신을 체포한다. 그 자리에서 죽일 수도 있었지만 회음후로 강등시키고 장안長安에 유폐시킨다. 앙앙불락(怏怏不樂: 마음에 차지 않거나 야속하게 여겨 즐거워하지 않음)의 세월을 보내던 한신은 나중에 옛 부하 진희陳豨의 모반에 연루되어 황후 여후呂后에 의해 죽임을 당하고 온 집안이 몰살당했다.

과연 한신이 모반을 꾀했을까? 의견이 분분하다. 이 점에 대한 사마천의 서술도 모순된다. 전쟁의 와중에 무섭과 괴통이 배신을 권해도 응하지 않던 한신이 천하가 안정된 이후에 모반을 했다는 것이 쉽사리 납득되지 않는다. 사마천이 한신이 배신을 거절하는 장면을 길게 서술한 것은 삼족이 멸한 그의 운명에 동정을 표하는 것 같다. 다른 한편 마지막 논평에서는 "천하가 이미 안정된 뒤에 반역을 꾀했으니 온 집안이 멸망한 것도 당연하지 않은가."라고 준엄하게 비판한다.

전쟁은 정치의 일부분

어떻게 봐야 할까? 사실 한신의 잘못이 없지 않다. 유방의 면전에서 여러 장군의 능력에 대해 품평하면서 한고조는 10만 명 정도를 이끌 수 있는 장수이지만 자신은 "많으면 많을수록 좋다.〔多多益善〕"고 발언한 점, 번쾌(樊噲: 원래 개백정 출신으로 유방을 도와 한나라 건국에 커다란 공을 세운 공신, 여후의 동생과 결혼한 유방의 동서)의 집을 방문했다가 나서면서 "살아생전에 번쾌 따위와 같은 반열에

들다니……" 같은 오만한 발언을 한 점 등을 보면 한신 스스로 화를 자초한 면이 크다. 마오쩌둥이 "항우는 정치가가 아니고 유방이야말로 고단수 정치가다."라고 평한 적이 있는데 고단수 정치가인 유방 앞에서 한신은 대장군에 불과했다. 20세기에 맥아더는 2차 세계대전에서 세운 공과 인천상륙작전을 성공적으로 완수한 능력을 믿고 대통령의 권위를 인정하지 않고 오만하게 굴다가 트루먼에 의해 전쟁 중에 경질되는 불명예를 당하는 정도로 끝났지만, 한신은 안타깝게도 삼족이 몰살당했다. 사마천의 평대로 한신은 자신의 재능이나 명성을 드러내지 않고 참고 기다리는 도광양회韜光養晦의 도를 배워 더욱 겸손했어야 했다. 하지만 그러지 못했으니 안타까운 일이다. 용병술이 아무리 뛰어나도 그건 정치의 일부분에 불과한 것이다.

사마천의 논평

태사공은 말한다. "내가 회음에 갔을 때 회음 사람들이 나에게 하는 말이 한신은 평민이었을 때에도 뜻이 보통 사람과 달랐다고 한다. 그의 어머니가 죽었을 때 가난해서 장례도 치를 수 없었지만, 결국 높고 넓은 땅에 무덤을 만들어 그 주위에 1만여 호의 집이 들어설 수 있게 했다고 한다. 내가 그의 어머니 무덤을 보니 과연 그러했다. 만약에 한신이 도리를 배워 겸양한 태도로 자신의 공로를 뽐내지 않고 능력을 자랑하지 않았다면 한나라에서 그가 세운 공훈은 (주나라에서) 주공, 소공, 태공(강태공)의 무리가 세운 것에 비할 수 있어서, 후세에 사당에서 제사를 받을 수도 있었다. 여기(겸양)에 힘쓰지 않고 천하가 이미 안정된 뒤에 반역을 꾀했으니 온 집안이 멸망한 것도 당연하지 않은가?"

11 봄꽃처럼 사랑받았으나 불운했던 명장
: 이장군 이광

화사한 벚꽃이 만발한 모습도 아름답지만 복사꽃이나 배꽃의 정취보다는 못하다. 벚꽃이야 흔해서 자주 볼 수 있지만 복사꽃이나 배꽃은 여간해서 보기 힘들기에 더 그런 것 같다. 하지만 예전에는 복사꽃이나 배꽃이 요즘 벚꽃 같았나 보다. "복숭아나무와 배나무가 (꽃구경 오라고) 말을 하지 않지만 (사람들이 그 아름다운 꽃을 보고 그 열매를 따기 위해 몰려들기 때문에) 그 밑에는 저절로 작은 길이 생긴다.〔桃李不言 下自成蹊〕"라는 말이 있으니 말이다. 코로나19 사태로 춘삼월 호시절이 왔어도 꽃 구경하기가 쉽지 않았다. 화창한 봄 날씨를 만끽하면서 마음껏 꽃을 볼 수 있는 날이 오기를 간절히 기원한다.

꽃 같은 장군 이광

한나라 문제文帝·경제景帝·무제 시기의 명장 이광李廣은 복숭아꽃이나 배꽃처럼 빛나고 매력적인 사람이었다. 아름다운 꽃이 떨어지듯 그가 죽었을 때 그를 알든 모르든 세상 사람들이 모두 슬퍼했다고 한다. 사실 아는 사람이 죽어도 모두 슬퍼하지는 않는데 이광을 모르는 사람마저 슬퍼했다고 하니 그의 인품이 어떠했는지 미루어 짐작할 수 있다. 사실 어떤 사람이든 다른 사람의 죽음은 우리를 축소시킨다. 왜냐하면 우리는 모두 인류의 일부분이기 때문이다. 하물며 아끼고 존경하는 사람임에랴.

이광의 선조는 진나라 장군 이신李信으로 연나라 태자 단을 추격해 잡은 사람이다. 형가의 거사가 실패한 후 진나라는 연나라를 쳤다. 「자객열전」에 "그 후 이신이 단을 추격하자 단은 연수衍水 부근에 몸을 숨겼다. 연나라 왕은 태자 단을 죽여 진나라에 바쳤다."고 나온다. 이광의 손자는 사마천과 관련이 깊은 이릉으로, 흉노와 싸우다 중과부적으로 항복한 그를 사마천이 옹호하다가 한 무제의 노여움을 사서 궁형을 받게 된 일로 유명하다. 이렇듯 이광은 무인 집안 출신이다.

집안 대대로 궁술을 전수해왔는데 이광은 그중에서도 특출하게 활쏘기에 능했다. 키도 크고 팔도 원숭이처럼 길었다고 한다. 그뿐만이 아니라 기마술에도 능했고 담력도 대단했다. 그러니 당시 흉노와의 싸움에서 위험을 무릅쓰고 무용을 드러내는 일이 많았다. 한번은 사냥을 나갔다가 풀숲에 있는 돌을 호랑이로 잘못 알고 활을 쏘았는데 화살촉이 돌에 박힌 일도 있었다. 물론 진짜 호랑이를 활로 쏘아 죽인 일도 있고 맹수를 주먹으로 쳐서 죽인 일도 있었다.

이렇게 무인으로서 출중한 능력을 지녔을 뿐만이 아니라 부하들을 아끼는 데에도 남달랐다. 누구처럼 자기 휘하의 병사들을 사적으로 머슴 부리듯이 하기는커녕 상을 받으면 그걸 번번이 부하들에게 나눠 주었고 청렴했다. 음식을 먹을 때도 병사들과 함께했다. 군 생활을 40년간 했으니 '연봉'도 상당했지만(2000석) 집에 남은 재산도 없었다.

기꺼이 죽겠다는 병사들

이광은 주위 평판이 좋아 한무제 때 변방의 태수에서 미앙궁(未央宮: 서궁)의 금위군 책임자로 임명된다. 정불식程不識이라는 장수도 장락궁(長樂宮: 동궁)을 지키는 장으로 임명된다. 쉽게 말하면 둘 다 야전군 사령관에서 수도방위사령관으로 승진한 것이다.

야전사령관 시절 두 사람은 부대를 통솔하는 방식이 완전히 달랐다. 정불식은 부대를 지휘할 때 수하의 부대를 엄히 단속했으며 편제와 규범을 정비하고 사졸들로 하여금 밤을 새워 문서를 처리하도록 하여 군사들이 쉴수가 없었다. 하지만 적으로부터 기습을 당하는 일은 없었다. 정불식은 엄격한 제도로 군을 다스리는 모델이다.

이광의 통솔방식은 달랐다. 흉노를 치러 갈 때 행군에 엄격한 편제와 일정한 진법이 없었다. 물이나 풀이 좋은 곳을 골라 주둔하고 병사들이 편히 지내도록 하였다. 막사에서 불필요한 문서나 장부 작업 등은 과감히 생략했다. 하지만 척후병을 먼 곳으로 보내 적의 상황은 파악하고 있었으므로 적에게 습격받는 일 역시 없었다. 이광은 개인의 모범이나 매력으로 군대를 통솔하는 모델이다.

두 모델의 장단점에 대해 정불식은 이렇게 평했다. "이광의 군사는 무장이 간단하여 적이 별안간 습격해오면 막아낼 수 없었다. 하지만 휘하 병사들이 편안하고 즐겁게 지냈으므로 모두 그를 위해 기꺼이 죽을 생각을 하고 있었다. 우리 군사는 일이 번잡하지만 적들도 우리를 침범하지 못한다."

두 사람 모두 당시 이름을 날리던 명장이었지만 흉노는 이광의 지략을 두려워했고 사졸들도 당연히 이광의 밑에 있기를 좋아했다.

일생에 걸친 불운과 집안의 비극

개인의 무공도 대단하고 휘하 병사들에게 인기도 많은 빼어난 장수였지만 그는 불운했다. 일찍이 문제는 그를 두고 이렇게 평했다. "안타깝게도 그대는 좋은 때를 만나지 못했다. 만일 고제(한고조 유방) 때 살았더라면, 만호萬戶의 제후쯤은 쉽사리 됐을 것이다." 일생을 두고 이어질 불운의 시초였다.

오초칠국吳楚七國의 난 때에는 적장의 깃발을 빼앗는

등의 공을 세웠지만 한나라 장수로 출전해서 양왕梁王이 사적私的으로 주는 장군의 인수印綬를 받았기 때문에 포상을 받지 못했다. 마읍馬邑의 전투에서는 효기장군(驍騎將軍: 대장군보다 지위는 한 단계 낮지만 봉록은 같은 장군의 칭호)으로 참전하여 골짜기에 대군을 잠복시키고 흉노의 선우(單于: 천자처럼 광대한 지역의 수령을 뜻함)를 유인해서 거의 잡을 뻔했지만 선우가 눈치를 채는 바람에 무산되어 공을 세우지 못했다.

안문雁門의 전투에서는 패하여 흉노에게 생포되었는데, 선우가 이광을 잡거든 반드시 산 채로 잡아오라고 했기 때문이다. 이광은 부상당해 말 두 필 사이에 엮인 그물에 눕힌 채 적진으로 끌려가고 있었다. 죽은 척하고 누워 있다가 적이 방심하는 틈을 타서 말 위에 있는 흉노 소년병을 밀쳐 떨어뜨리고 말과 활을 빼앗아 구사일생으로 도망쳤다. 하지만 한나라 조정에서는 많은 부하를 잃고 적에게 사로잡힌 죄를 물어 이광을 참수하려 했고 겨우 속죄금을 내고 평민이 되었다.

나중에 우북평右北平의 태수가 되어 공을 세울 기회를 잡았지만 흉노가 소문을 듣고 이광을 "한나라의 비장군飛將軍"이라고 부르며 몇 년 동안 아예 침입하지 않았

다. 또 위청衛靑이 이끈 정양定襄의 전투에서 한나라 군이
흉노에게 승리하여 제후에 봉해진 장수가 많았지만 이광
의 군대만은 불운하게도 공을 세우지 못했다.

한나라에게 흉노 문제는 가장 중요한 대외 문제여서
한고조에서부터 문제, 경제 시기까지는 화친 정책을 펼
쳤지만 젊은 무제가 즉위한 다음에는 흉노에 공격적으로
대응했다. 한무제는 대장군 위청과 표기장군票騎將軍 곽거
병霍去病을 선봉장으로 해서 대대적으로 흉노 공격에 나
섰고 이광은 일생의 마지막 기회라 여기고 자원해서 전
투에 참여하고자 했다. 한무제는 그가 늙었다고 생각해
서 허락하지 않았지만 한참 뒤에 선봉장에 서도록 허락
했다. 하지만 젊은 위청은 이광에게 정면의 선봉장을 맡
기지 않고 동쪽으로 우회하도록 했다. 동쪽 노선은 멀리
돌아가야 하는 데다 앞으로 나아가기도 주둔하기도 어려
운 길이었다. 이광은 젊은 대장군에게 정면에서 선우와
싸울 수 있게 해달라고 간청했지만 대장군은 받아들이
지 않았다. 왜냐하면 황제로부터 이광은 늙고 운수가 좋
지 않은 사람이니 선우와 직접 대적하지 않게 하라는 언
질을 받았기 때문이다. 이광은 할 수 없이 동쪽 노선으로
나아갔지만 때때로 길을 잃어 제시간에 합류 지점에 도

달할 수 없었다. 위청은 문서로 사실을 심문하고 엄히 질책했다. 그러자 이광은 부하들에게 죄가 없고 내가 길을 잃은 것이니 직접 심문받겠다고 하고 돌아와 부하들에게 말한다.

나는 젊은 시절부터 흉노와 70여 차례의 크고 작은 전투를 했다. 이번에 다행히 대장군을 따라 선우의 군사와 접전을 벌일 수 있었는데 대장군이 나의 부서를 옮겨 길을 멀리 돌아가게 하였고 또 길을 잃게 되었으니 이건 하늘의 뜻이 아니겠는가? 내 나이 예순이 넘었으니 다시 도필리(刀筆吏: 아전)의 심문에 답할 수 없다.

그러고는 칼을 뽑아 스스로 목을 베어 죽었다. 마침내 그의 일생에 걸친 불운에 종지부를 찍은 것이다.

모두가 슬퍼한 죽음

하지만 그의 불행은 그것만이 아니었다. 그에게 세 아들이 있었는데 큰아들 이당호李當戶는 명대로 살지 못했고,

둘째 아들 이초李椒는 대군代郡의 태수가 되기도 했지만 아버지보다 먼저 죽었다. 큰아들 당호에게 유복자가 있었는데 그가 바로 이릉이다.

막내아들 이감李敢은 아버지로 하여금 원한을 품고 죽게 만들었다고 대장군 위청을 공격해 상처를 입혔으나 위청은 그 일을 밖으로 드러내지 않았다. 하지만 그의 조카 표기장군 곽거병이 나중에 이감을 활로 쏘아 죽였다.

이릉은 궁사와 보병 5000명을 이끌고 나가 선우의 군대 8만 명과 중과부적의 상태에서 맞서 싸우다 양식도 떨어지고 구원병도 오지 않아 어쩔 수 없이 항복했다. 그의 이야기는 나카지마 아쓰시의 소설에 생생하게 그려져 있다. 이릉이 항복했을 뿐만이 아니라 흉노의 군대를 훈련시킨다는 가짜 뉴스(진실은 이릉이 아니라 이서李緒라는 사람이었다.)가 조정에 전해져 그의 가족이 몰살당했다.

사마천은 "이릉은 부모를 효로써 섬기고, 사졸들에게 신의가 있었으며, 항상 떨치고 일어나 자신을 돌보지 않고 나라의 위급한 일에 목숨을 바쳤습니다. (……) 비록 패하였으나 그가 흉노를 대파하였음은 족히 천하에 알릴 만합니다. 그가 죽지 않았다면 틀림없이 마땅한 기회를 얻어 한나라에 보답할 것입니다."라고 변호했다가 궁형을 당했다. 사마천은 이광의 불행한 운명에 매우 동정적이었고 넌지시 한무제에게 일단의 책임이 있다는 뉘앙스를 담았는데, 아마도 이릉에 대한 평가와 감정이 투사되었을 것이다. 아무튼 3대에 걸친 집안의 비극은 이로써 막을 내린다.

이 장군을 직접 본 일이 있었던 사마천은 그가 질박한 시골 사람처럼 성실했고 말주변은 좋지 않았다고 전한다. 하지만 그의 죽음에 모두 슬퍼한 것은 그의 충실한 마음이 사대부들에게 신뢰와 감동을 불러일으켰기 때문이라고 말한다. 그보다 못한 사람도 제후가 되고 출세가도를 달리던 다이내믹한 시대를 살면서, 이광은 빼어난 능력을 가졌지만 안타깝게도 끝내 열후列侯에 봉해지지 못하고 생을 마감했다. 복숭아나무나 배나무가 말을 하지 않지만 그 아래 저절로 작은 길이 나듯이, 불운하지만 아름다운 삶을 살았던 이는 사람들의 기억 속에 어떤 길을 만들까?

사마천의 논평

태사공은 말한다. "전해오는 말에 '자기 몸이 바르면 명
령하지 않아도 시행되며, 자기 몸이 바르지 못하면 명령
을 해도 따르지 않는다.'라고 하는데 아마도 이 장군을
두고 하는 말일 것이다. 나는 이 장군을 본 적이 있는데
시골 사람처럼 투박하고 소탈하며 말도 잘하지 못했다.
그가 죽는 날 그를 알든지 모르든지 세상 사람들이 모두
슬퍼했으니 그의 충실한 마음씨가 정녕 사대부의 신뢰
를 얻은 것인가? 속담에 복숭아나 배는 말을 하지 않지
만 그 밑에는 저절로 작은 길이 생긴다고 하였다. 이 말
은 사소하지만 큰 이치를 설명할 수 있으리라."

12 '사람'과 '때'를 알아본 대정치가이자
재물의 신: 범려

최고의 치세에는 이웃나라가 서로 바라보며, 닭 우는 소리
와 개 짖는 소리가 서로 들려도 백성들은 각각 자기 나라
의 음식을 달게 먹고, 자기 나라의 옷을 아름답게 여기며,
자기 나라의 습속을 편하다고 여기고, 자기들이 하던 일을
즐기며 늙어 죽을 때까지 서로 왕래하지 않는다.

사마천이 열전 끝에 쓴 자신의 전기 「태사공자서太
史公自序」를 제외하면, 열전 마지막 편이 되는 「화식열전
貨殖列傳」의 첫 부분이다. '화식貨殖'은 재화를 증식시킨다
는 의미로, 원래 『논어』 「선진先進」 편에서 공자가 '비즈
니스'에 능했던 자공을 평하며 한 말에 나온다. 그러니까
「화식열전」은 장사를 해서 돈을 많이 번 사업가들의 전
기라고 할 수 있다. 그런데 첫 부분에서 소국과민小國寡民
의 이상세계를 설파한 『노자』를 먼저 인용한다. 기후변

화와 세계화의 부정적 측면이 야기한 코로나19 바이러스 팬데믹 때문인지 노자의 이상향이 새롭게 다가온다. 하지만 사마천은 곧바로 이런 류의 이상은 실현될 수 없다고 딱 잘라 부정한다. 왜냐하면 근세(사마천의 입장에서)에 와서 이런 생활방식을 도모한다면 백성의 눈과 귀를 가로막게 되기 때문이다. 서로 통하지 않는 것이 이상적이기는 하나, 신농씨 이전이면 몰라도 그 이후엔 서로 통하지 않을 수 없다고 보았다. 귀와 눈은 아름다운 것을 듣고 보고 즐기려 하고, 입은 소와 양 같은 고기를 다 맛보려 하니, 인간의 욕망을 충족시키려면 만물이 통해야 한다는 것이다. 정치를 하려면 인간의 욕망과 다퉈서는 안 된다.

재물의 신, 상인의 성인

인간의 욕망에 응대하며 정치를 잘한 사람이 바로 태공망(太公望: 강태공, 제나라 시조)이고, 관중이었다. 이런 유능한 인물 덕에 동쪽 변방에 있었던 제나라가 부를 쌓을 수 있었고 제환공 때에 이르러 패자가 될 수 있었다. 그렇다면 부귀를 타고 나지 않고 평범하게 태어난 사람 중 큰 부를 이룬 사람은 누가 있을까? 「화식열전」에는 공자의 제자 자공, 상인의 비조鼻祖라 불리는 백규白圭 등 여러 사람이 등장하지만 단연 최고는 범려范蠡다. 그는 "재물의 신〔財神. 인문적 재신인 범려 외에 무인이었던 관우도 재신으로 추앙받고 있다.〕", "상인의 성인〔商聖〕"으로까지 일컬어지는 인물이다.

무협소설 작가 진융金庸은 생전에 가장 존경하는 인물을 묻는 질문을 받았을 때, 옛사람으로는 범려, 당대의 인물로는 바둑의 성인 즉 기성棋聖으로 불리는 우칭위안吳淸源을 꼽았다고 한다. 진융이 바둑 마니아로서 우칭위안을 꼽은 것은 그렇다 치고, 범려를 존경한 이유는 무엇일까?

범려는 초나라 완(宛: 지금의 허난성河南城 난양南陽 일대) 지방 태생으로, 공자와 동시대 인물이다. 공자는 14년간 천하를 주유하면서도 결국 뜻을 이루지 못했지만 범려는 인생 삼모작에 모두 성공한 전설적인 인물이다. 누구에게나 인생이란 대개 아무 일도 하지 않기엔 길지만 무언가 의미 있는 일을 하나라도 이루기엔 짧기 마련인데, 범려는 영역을 바꿔가면서 세 번이나 성공해 길이 남은 인물이다. 첫 번째는 월왕越王 구천句踐을 도와 오나라를 멸함으로써 월왕 구천으로 하여금 회계會稽에서의 치욕을 20여 년 만에 설욕하고 춘추시대의 마지막 패자에 오르게 만들었다. 두 번째로는 이러한 큰 공을 세우고도 거기에 머물지 않고 스스로 물러났다. 그 후 "강호江湖에 일엽편주一葉片舟를 띄워" 제나라로 건너가서 치이자피鴟夷子皮라는 이름으로 바꾸고 장사를 해서 크게 부를 쌓고 제나라의 재상이 되었다. 마지막 세 번째로는 제나라에서 쌓은 부를 다 나눠주고 당시 교통이 발달한 도陶라는 곳으로 가서 주공朱公이라고 자칭하면서 또다시 돈을 크게 벌었다. 말년에 늙고 쇠약해지자 가업을 자손에게 맡겼고, 자손들도 사업을 잘해 부자가 되었다고 한다.

범려는 주군인 구천을 잘 모셔 패업을 이룩하게 했으니 유가적 이상을 실천한 인물이다. 또한 적절한 때에 물러나 토사구팽당하지 않았고, 명성에 구애받지 않고 은거하면서 치국治國에 사용했던 이치와 능력을 제가齊家에 적용해서 큰돈을 벌어 유유자적 살았으니 도가적 인물이기도 하다. 이렇듯 그는 춘추시대에 공명을 이루고 물러나 제명대로 살다 간 유일한 사람이며, 동아시아 문화에서 사대부(지식인)의 이상을 한 몸에 체현한 상징적 인물이라고 할 수 있다. 다시 말하면 한나라의 장량과 촉의 제갈량으로 이어지는 인간형의 시조라고 할 수 있다.

치국에서 실력을 발휘하다

그는 빈한한 집안 출신으로 벼슬길에 나아가기 전에는 거짓으로 미친 척하여 풍속에 구애받지 않고 분방하게 생활했다. 그런데 당시 그 지방의 현령이었던 문종文種이 그가 비범한 사람임을 알아보고 서로 친구가 된다. 이후 두 사람은 함께 월나라로 건너가서 월왕 구천에게 중용되어 대부가 된다.

　　당시 월나라와 오나라는 서로 물고 물리는 패권 다툼을 벌이고 있었다. 월왕 구천은 먼저 전쟁을 벌이지 말라는 범려의 조언을 무시하고 오나라를 공격했다가 거꾸로 회계산에서 오왕吳王 부차夫差에게 포위된다. 구천이 잘못을 인정하고 다시 조언을 구하자 범려는 답했다. "충만함을 지속하려면 자연의 도리를 본받아야 하고, 넘어지려는 것을 안정시키고자 하면 인간의 도리에 따라 자신을 낮춰야 하고, 세상사를 잘 처리하려면 땅의 이치에 따라 생산에 힘써야 한다."라고. 범려의 간언에 따라 구천은 납작 엎드려 항복하고 겨우 사지에서 벗어난다. 월나라에 돌아온 구천은 와신상담하며 자세를 낮추어 어진 이를 공경하고 손님을 후히 대접하며 가난한 사람을 돕고 죽은 자를 애도하며 백성들과 함께 고락을 같이하면서 국력을 키운다.

월왕은 아예 국정을 범려에게 맡기려 했다. 그러자 범려는 "군사의 일이라면 제가 문종보다 낫지만 국가를 안정시키고 백성을 따르게 하는 일은 문종이 더 뛰어납니다."라고 사양한다. 범려는 국제 문제에, 문종은 국내 정치에 매진하는 등 역할을 나누어서 월왕을 돕는다. 결국 월나라는 범려의 심모원려(深謀遠慮: 깊이 꾀하고 멀리 내다보는 생각)에 따라 은인자중하며 실력을 키웠다가 22년 만에 오나라를 평정한다. 월왕 구천은 오나라를 평정하였을 뿐만이 아니라 제후들의 패자(춘추시대의 마지막 패자)가 되었고, 범려는 상장군이 되었다.

19년간 세 차례나 천금을 벌다

『노자』에 공을 이루었으면 거기에 머물지 말고 스스로 물러나라는 말이 나온다. 자신의 명성이 너무 커져 유지하기가 힘들다고 생각한 범려는 월나라를 떠난다. 그가 이렇게 멋지고 현명한 결단을 내리게 된 데에는 월왕 구천의 생김새가 "목은 길고 입은 새 부리처럼 튀어나와" 어려움은 같이할 수 있으나 편안함은 함께하기 어렵다고 보았기 때문이다. 떠나지 않았던 문종은 결국 토사구팽당한다. 범려는 앞서 말했듯이 일엽편주를 타고 강호로 나아가 제나라로 가서 치이자피로 이름을 바꾼다. 치이자피(鴟夷子皮: 소가죽 혹은 말가죽. 치이자피의 '치이'는 빠른 새의 혹 주머니, 큰 거북, 표주박이라는 설이 있다.)라는 이상한 이름은 원래 '술을 담는 가죽 부대'라는 뜻이다. 월나라와 패권을 다퉜던 오나라의 충신 오자서伍子胥는 간신들의 모함을 받고 억울하게 죽임을 당한 후에 가죽 부대에 담겨 강물에 버려졌다.(「오자서열전伍子胥列傳」) 그렇기에 치이자피는 오자서를 가리키는 말이기도 하다. 범려는 오자서의 비극적 운명을 잊지 않기 위해 이름을 그렇게 지었는지도 모른다.

제나라에 도착한 그는 아들과 함께 해변가에서 온갖 고생을 하며 농사와 어업에 종사하여 수십만 금의 재산을 쌓는다. 제나라 사람들은 범려가 성공하는 과정을 보고 유능하다고 여겨 그를 상국相國에 임명한다. 범려는 탄식하며 읊조린다. "집에서는 천금의 재산을 이루고, 벼슬살이로는 상국에까지 이르렀으니, 보통 사람으로서는 정점까지 간 것이다. 존귀한 이름을 오래 가지고 있는 것은 불길한 것이다." 그는 재상의 인장印章을 반납하고, 모은 재산을 주변 사람에게 나누어주고, 귀중한 보물만 챙겨 다시 몰래 사라진다.

이번에 그가 잠입한 곳은 도(陶: 지금의 산둥성 허쩌시荷澤市 딩타오현定縣)라는 곳이었다. 도는 사방 여러 나라로 통한 곳이어서 물자를 교역하기에 좋았다. 그는 거기서 스스로 '주공'이라 칭하면서 얼마 지나지 않아 다시 큰 재산을 모았고 사람들은 그에게 찬탄을 금치 못했다. 나는 범려가 물러나 도 땅에 간 것을 볼 때마다 퇴계退溪의 '퇴'와 도산서원陶山書院의 '도'가 여기서 따온 게 아닌가 추측한다. 물론 뇌피셜이다. 퇴계의 「도산기陶山記」에는 옛날 그 산중에 질그릇을 굽던 곳이 있었으므로 '도산'이라고 했고, 산 뒤에 있는 물을 '퇴계'라고 한다고 나와 있다.

　아무튼 범려가 돈을 크게 번 방법은 간단하다. "품질이 좋은 물건을 구하는 데 힘쓰고, 그렇게 구한 물건은 오래 쌓아두지 않고 적절한 시기에 바로 내다 팔아 자금을 회전시키는 것이다.〔務完物 無息幣〕" 다시 말하면 재물과 화폐를 마치 흐르는 물처럼 유통시킨 것이다. 그리고 좋은 물건을 비쌀 때는 썩은 흙 버리듯이 내다 팔고, 쌀 때는 좋은 옥처럼 사들이는 것이다. 무릎에서 사서, 어깨에서 팔라는 증시의 격언처럼 말이 쉽지, 막상 그대로 행하기는 어려운 일이었다.

　범려는 이렇게 해서 19년 동안 세 번이나 천금을 벌었다. 그리고 군자는 부유해지면 덕을 베풀기를 좋아한다고, 첫 번째와 두 번째 천금은 모두 가난한 친구들과 먼 친척에게 나누어주었고, 세 번째 천금은 자신을 위해 썼다. 그가 대부호가 될 수 있었던 비결은 한 마디로 사람을 잘 선택하고 적절한 때를 잘 잡았기 때문이다. 다시 말하면 사람과 때를 잘 알았기 때문이다. 중요한 순간에 월나라에 들어가 큰 공을 세우고, 희생되지 않고 월나라를 떠난 것을 보면 그가 얼마나 때를 잘 아는 지혜로운 사람이었는지 알 수 있다.

사람을 알아보는 눈

범려가 사람도 잘 알았다는 것은 아들에 얽힌 이야기
에서도 잘 드러난다. 표도르 파블로비치 카라마조프에
게 세 아들이 있었던 것처럼 범려에게도 아들이 셋 있었
다. 첫째와 둘째는 도 땅에 오기 전에 낳았고, 막내는 도
에 와서 낳았다. 다시 말하면 첫째는 범려가 고생을 할
때 낳았고, 막내는 부유해진 다음에 얻은 자식이다. 막내
가 청년이 될 무렵, 둘째가 사람을 죽여 초나라에 갇히게
되었다. 범려는 돈을 써서 둘째 아들을 구하기 위해 막내
를 시켜 황금 1000일鎰을 마차에 실어 보내려 했다. 하지
만 첫째가 자기를 안 보내면 자결하겠다고 하는 바람에
어쩔 수 없이 장남을 보냈다. 자식 이기는 부모 없는 것
이다. 돈과 함께 편지를 적어 주면서 오랜 친구인 장생莊
生을 찾아가라고 하였다. "무조건 돈을 전달하고, 그가 하
는 대로 따르되 절대 논쟁하지 마라."고 당부하면서.

　　장남이 초나라에 도착해서 장생을 찾아가 보니 집이
초라했다. 아버지가 시킨 대로 돈과 편지를 전달하자 장
생은 "절대 여기 머물러 있지 말고, 빨리 떠나라. 동생이
살아 나오거든 그 까닭을 묻지 마라."고 하였다. 장생은

비록 슬럼가에 살고 있었지만 매우 청렴한 인물이어서 왕에게서도 존경받는 인물이었다. 범려에게 받은 황금을 자기가 차지할 생각도 없었다. 그는 친구를 돕기 위해 초나라 왕을 찾아가 불길한 천체 현상을 설명하면서 이를 없애기 위해서 은덕을 베풀어야 한다고 간언했다. 장생을 신임하고 있던 왕은 그의 조언에 따라 사면령을 내리도록 했다. 장생의 당부를 어기고 초나라를 떠나지 않고 있던 첫째 아들은 곧 대사면령이 내려진다는 소문을 듣는다. 그는 사면령이 장생이 조정한 일이라는 것을 까맣게 모르고, 황금을 아까워하며 장생을 찾아간다.

장생은 그가 황금을 찾으러 온 것이라 눈치채고 황금을 즉각 돌려준다. 그리고 친구의 아들에게 배신당한 것에 수치심을 느껴 이내 입궐해서 사면령이 취소되도록 만든다. 결국 둘째 아들은 처형당하고, 장남은 동생의 시신을 가지고 돌아올 수밖에 없었다. 다들 슬퍼하였지만 범려만은 태연하게 말했다.

나는 큰 애가 동생을 죽게 할 줄 알고 있었다. 그가 동생을 사랑하지 않아서가 아니라, 그 애는 어려서부터 나와 함께 고생했고 살기 위해 고난을 겪었으므로 함부로 돈을 쓰지 못한다. 막내는 태어나면서부터 내가 부유한 것을 보았기에 돈을 아까워하지 않는다. 저번에 내가 막내를 보내려고 한 것은 그가 돈을 아까워하지 않기 때문이었다.

창고가 실해야 예절을 안다

춘추시대 말기부터 전국시대까지 상업이 발달했다. 상인의 지위도 어느 때보다 높았다. 사마천은 이들을 소봉素封이라고 불렀다. "상인은 귀족이 아니고 평민〔布衣匹夫〕"이므로 '소素'다. 하지만 천금 만금의 부자는 제후에 '봉封'해진 것처럼 즐거움을 누릴 수가 있었다. 다시 말하면 소는 봉이 아니고 봉은 소가 아니지만 장사를 해서 돈을 많이 벌면 소이면서 봉인 것이다. 사마천이 돈을 많이 번 평민들의 전기를 쓴 것에 대해 반고班固는 세리勢利를 숭상하고 빈천을 부끄럽게 여긴 것이라고 비판했다. 하지만 공자도 "부를 구할 수 있는 것이라면 채찍 잡는 일이라도 하겠다."라고 하였다. 공자의 제자 자공도 돈이 많았기 때문에 제후들이 그를 만날 때 대등한 예를 표했던 것이다.

일반 백성들은 상대방의 재산이 자기보다 열 배 많으면 몸을 낮추고, 백 배 많으면 두려워하며, 천 배 많으면 그의 일을 하고, 만 배 많으면 그의 하인이 된다.

사마천이 본 사물의 이치는 바로 이러했다. "가난은 한낱 남루에 지나지 않는 것"이 아니다. 창고가 가득차야 예절을 알고, 의식衣食이 족해야 영욕을 알게 된다. 못이 깊어야 물고기가 생기고 산이 깊어야 짐승이 가는 것처럼 사람도 부유해야 인의가 따라붙는 것이다.

「화식열전」에서 세 번째 거론한 인물인 백규는 "때의 변화를 즐겨 관찰했다.〔樂觀時變〕"라고 한다. 그는 이런 말도 했다. "나는 이윤伊尹과 여상(呂尙: 강태공)의 계책, 손무孫武와 오기의 용병술, (진나라를 부강하게 만들었던) 변법을 집행했던 상앙과 같은 방식으로 사업을 운영한다. 그러므로 임기응변할 수 있는 지혜가 없는 자, 결단을 내릴 줄 아는 용기가 없는 자, (적절히) 주고받을 줄 아는 인仁이 없는 자, 지킬 것을 지킬 힘이 없는 자들이 내 방법을 배우려고 해도 가르쳐주지 않는다." 즉 지용인강知勇仁强이 있어야 한다는 것. 장사하는 원리를 설파하는 것인지 정치의 비결을 말하는 것인지 병법을 이야기하는 것인지 구분이 안 갈 정도다. 이처럼 정치와 경제, 그리고 병법 등을 서로 엮어서 이해하는 것이 중국 전통사상의 특징인지도 모르겠다. 아무튼 부자가 되기는 결코 쉽지 않다.

돈은 우리 시대의 신이며 "현대사회의 문법"이 아니던가?(게오르크 지멜) 따라서 범려를 비롯해 부자가 된 사람들의 삶을 추적한 「화식열전」을 읽어볼 필요가 있다. 『사기』를 읽고 「화식열전」을 읽지 않으면 『사기』를 읽은 것이 아니라고 한 학자도 있다. 물론 「화식열전」을 읽는다고 쉽게 부자가 될 수 있는 것도 아니다. 『손자병법』을 읽는다고 훌륭한 장수가 되는 게 아니듯이 말이다. 하지만 상업계의 『손자병법』이라고 하니 금방 효과를 보려는 욕심을 버리고 읽는다면 혹 나도 모르게 '내공'이 생길지도 모른다. 「화식열전」이 열전의 마지막에 있다고 해서 결코 중요하지 않은 것은 아니다. "덕이 근본이고 재물은 말단〔德本財末〕"이지만 웩더독Wag the Dog이라고 꼬리가 몸통을 흔들 수도 있으니 정말 조심할 일이다.

「화식열전」에는 「백이열전」처럼 사마천의 논평이 뒤에 붙어 있지 않다. 「태사공자서」에서는 "벼슬이 없는 필부의 신분으로 정치를 해치지도 않고, 백성들에게 방해가 되지 않으면서 때에 맞게 팔고 사서 재산을 늘리는 사람이 있다. 총명한 사람도 그들에게서 채택할 만한 점이 있어서 「화식열전」을 지었다."라고 하였다.

『사기』의 본래 이름이 '태사공서太史公書'다. 태사령(太史令: 천문, 역법, 역사 기록까지 담당한 관직)이었던 사마담司馬談 이 죽기 전에 아들 사마천에게 자신이 집필하던 역사서 를 완성해줄 것을 당부한다. 사마천은 아버지의 유언을 받들어 궁형을 당하는 오욕 속에서도 14년 만에 『사기』 를 완성한다. 따라서 『사기』는 부자 2대에 걸쳐 완수한 역사서다. 중국의 상고시대인 황제 시대부터 한나라 무 제 시대까지 3000년에 걸친 방대한 통사다. 중국의 부상 과 함께 중국 최초의 정사인 『사기』에 대한 관심이 높아 지고 새로운 연구도 활발해지고 있다.

내가 『사기』를 처음 접한 것은 꽤 오래전이다. 본문 에서도 잠시 언급하였지만 군대에서 제대한 날로부터 복 학하기 전까지 시간이 좀 있었다. 텅 빈 머리를 채울 겸 한문을 배우는 와중에 「형가열전」을 접한 것이 첫 인연이다. 그 후 지금은 고전번역원으로 이름을 바꾼 민족문화추진회 국역연구부에서 우전雨田 신호열辛鎬烈 선생님에게 「항우본기項羽本紀」를 일주일에 한 번씩 한 학기에 걸쳐 배운 것도 기억이 난다. 목적이 한문을 배우는 것이었기에 '나무'에 집중하느라 숲을 볼 겨를은 없었다. 모르는 한자를 찾아가며 한 편을 읽으려면 꽤 오랜 시간을 들여야 했다. 지금은 번역본이 많이 나와 있어서 마음만 먹으면 단번에 몇 편이고 쉽게 읽을 수 있지만, 당시엔 완역본이 없었고, 지금처럼 인터넷으로 쉽게 정보를 검색할 수도 없었다. 한문으로 읽자니 한 글자 한 글자 알아가는 소소한 재미는 있었지만 커다란 흥미를 느끼지 못했다. 반드시 읽어야 할 필요성도 느끼지 못했다. 그러니 열전이나마 한번 읽어볼 엄두도 내지 못했다.

언제부터인지 다른 책을 읽으면서 『사기』를 인용하는 것을 자주 접하다 보니 『사기열전』을 제대로 읽어보고 싶은 마음이 부지불식간에 솔솔 피어났다. 무엇보다 사마천이 이릉을 변호하다가 궁형을 당한 뒤 굴욕감으로 "하루에도 몇 번씩이나 창자가 뒤틀리는" 고통을 견디며 책을 썼다는 사실이 언젠가 한번 제대로 읽어야 한다는 마음을 굳혀주었다. 마침 시중에 이런저런 번역본이나 사마천의 전기 등 참고할 서적이 많이 나와 읽기도 편해졌다. 예전처럼 한자나 한문에 구애받지 않고 술술 읽어내려가니 흥미가 생겼다. 그래서 틈만 나면 관심 가는 인물부터 한 편씩 읽었다.

「백이열전」처럼 아주 짧은 편도 있고 「사마상여열전司馬相如列傳」처럼 긴 편도 있지만 어느 것을 읽어도 잘 쓴 단편소설을 읽은 것 못지않게 좋았다. 좋은 차를 마신 듯이 여향도 오래 갔다. 그래서 『사기』 관련 중국 서적을 눈여겨보기 시작했다. 이미 가지고 있던 책도 꽤 있었다. 한번은 『사기』 연구의 권위자 한자오치韓兆琦 선생이 편찬한 『사기제평史記題評』을 헌책방에서 우연히 구하기도 했다. 아마도 공부를 하다가 중도에 포기한 분이 내다판 책일 것이다. 그때 그때 관심 가는 인물의 열전 한 편을 우리말로 쭉 읽고 평소에 구해놓은 책의 평을 읽으니 내가 중요한 의미를 제대로 읽어낸 것이 많지 않았다는 것도 알게 됐다. 한 인물의 열전을 보다가 중간에 등장하는 다른 인물을 인터넷의 하이퍼텍스트처럼 찾아가 보는 것도 재미를 더했다. 이렇게 내가 거칠게 읽은 느낌을 나중에 전문 연구자의 평과 대조하면서 정리하고 복기하는 맛이 좋았다.

『사기』에 점차 흥미가 붙기 시작했을 때 마침 경희대에서 『사기』를 강의할 기회가 있었다. 『사기』가 워낙 유명한 고전인 데다가 옛이야기 속에 재미도 있고 교훈도 있어서 평소부터 좋아하는 학생이 꽤 있었다. 이런 학생들을 상대로 강의를 하기 위해서 자료를 조사하다 보니 관심이 더 깊어졌다.

이 책은 강의 시간에 다룬 것을 기초로 『사기열전』에서 '표변하는 삶'을 주제로 12편을 뽑아 인터넷신문 〈프레시안〉에 연재한 원고를 모은 것이다. 책으로 엮으면서 연재할 당시 시간에 쫓겨 미진했던 부분을 보완했다. 여기서 다룬 12편은 전체 70편에 달하는 『사기열전』의 일부분인데, 선택하는 사람마다 약간의 차이가 있지만 대개 명편으로 꼽히며 지명도가 높다. 그중에서 가장 유명한 두 편을 꼽으라고 하면 아마도 「백이열전」과 「회음후열전」일 것이다. 「소진열전」, 「장의열전」은 명편으로 자주 꼽히지는 않지만 국제정세에 대한 관심을 두고 선택했다. 글을 쓰기 위해 가장 많은 자료를 읽은 부분이기도 하다. 이 책에서 다룬 인물은 은주殷周 교체기에 살았던 백이부터 한나라 초기의 이광 장군까지 걸쳐 있지만, 뽑아놓고 보니 대부분 전국시대의 인물이다. 전국시대는 종횡가의 시대이기도 하다. 우리가 살아가는 이 시대는 또 다른 의미의 전국시대라고 할 만하다. 따라서 지금 시대를 투영하면서 읽으려고 노력했다.

　이 작은 책이 독자 제위가 표범처럼 멋지게 변신하는 데 자극을 주거나, 미로와 같은 인생살이에서 출구로 안내하는 가느다란 '아리아드네의 실'처럼 쓰인다면 더할 나위가 없겠다. 아니 『사기』를 직접 읽고 싶어 하기를 바랄 뿐.

메멘토문고 · 나의고전독법 01

표범처럼 멋지게 변신하는 삶, 사기

미로 같은 인생의 출구

초판 1쇄 발행 2021년 6월 25일

지은이   황희경

교정   조건형

디자인   이지선

펴낸이   박숙희

펴낸곳   메멘토

신고   2012년 2월 8일 제25100-2012-32호

주소   서울시 은평구 연서로26길 9-3 동양오피스텔 301호(대조동)

전화   070-8256-1543   팩스 0505-330-1543

이메일   mementopub@gmail.com